İSTANBUL'UN 100 MEZAR TAŞI

ALİ RIZA ÖZCAN

Sevgili Ergun,
Bu kitabın da hoşuna gideceğini sanıyorum.

Ağustos 2018

İSTANBUL'UN YÜZLERİ ~ 65

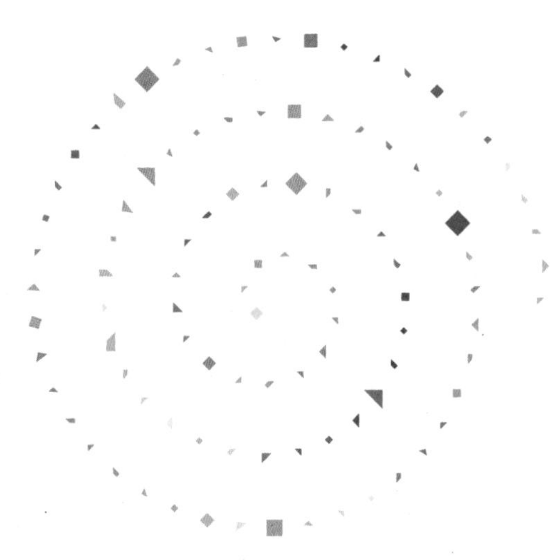

İstanbul Büyükşehir Belediyesi Kültür A.Ş. Yayınları

İSTANBUL'UN YÜZLERİ˜65
İSTANBUL'UN 100 MEZAR TAŞI
Ali Rıza Özcan

Yayın Koordinatörü
Kültür A.Ş. Projeler Müdürü
Fatih Yavaş

Editör
Esra Erkal

Yayın Danışmanı
Yrd. Doç. Dr. Burak Barutçu

Konsept Yönetmeni
Dündar Hızal

Dizi Editörü
Uğur Aktaş
Güney Ongun

Danışma Kurulu
Ahmet Kot
Ömer Faruk Şerifoğlu

Grafik Tasarım
Tuğrul Peker
Jana Ohanesyan

Kapak Fotoğrafı
Üsküdar Karacaahmet Mezarlığı, 1880-1893,
Abdullah Biraderler

Baskı Yılı
2012

Proje Yapım
Kült Ltd. / +90 212 251 3940
www.kult-art.net

Copyright © Kültür A.Ş. 2010
ISBN 978-605-4595-22-8

Yayınevi Sertifika No: 15321
Matbaa Sertifika No: 22235

Maltepe Mahallesi Topkapı Kültür Parkı Osmanlı Evleri 34010
Topkapı / Zeytinburnu / İstanbul
T. 0212 467 0700 F. 0212 467 0799
www.kultursanat.org / iletisim@kultursanat.org

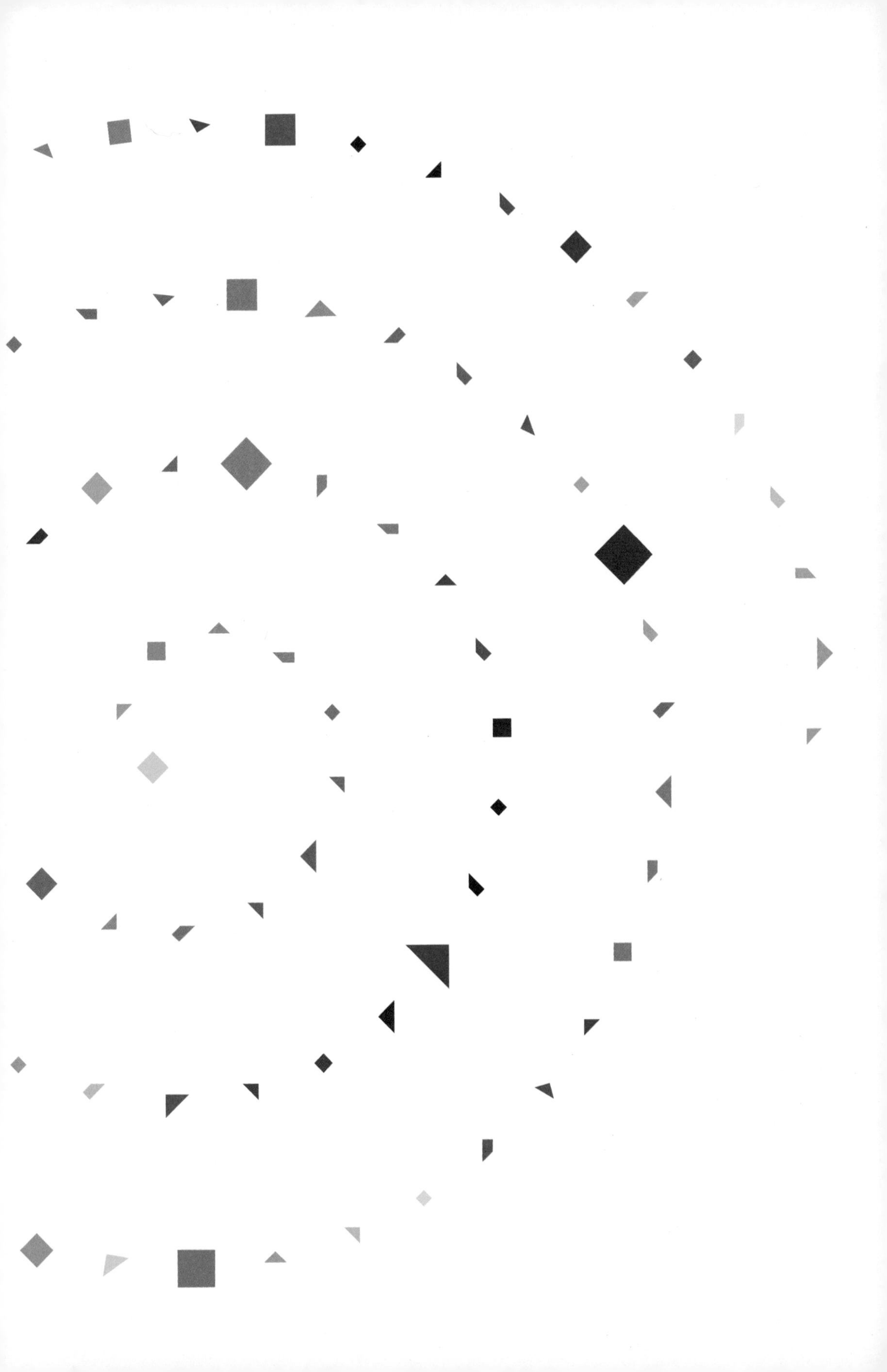

İÇERİK

Sunuş

Sevgili İstanbullular,

Kıtaların ve kültürlerin buluşma noktasında yer alan İstanbul üç imparatorluğa başkentlik yapmış bir şehirdir. Tarihinin her döneminde bir "dünya kenti" olan İstanbul siyasî, iktisadî ve kültürel bir merkez olma niteliğini halen korumaktadır. Küreselleşmenin etkilerinin güçlü olarak hissedildiği ve şehirlerin büyüyüp dünyanın küçüldüğü zamanımızda önemini ve cazibesini korumaya devam etmektedir. İstanbul'un 2010 Avrupa Kültür Başkenti olarak seçilmesi bunun açık bir göstergesidir.

2010 Avrupa Kültür Başkenti sürecinde birçok etkinliği başarıyla gerçekleştirdik. Bu faaliyetler arasında İstanbul ile ilgili yayınlarımız önemli bir ağırlık taşımaktadır.

Şehrimizin tarihi, kültürel ve edebi değerleri üzerine yazılmış eserleri okuyucularla buluşturmaya önem veriyoruz. Bu eserlerin hem İstanbul'un dünya ile diyaloğunun zenginleşmesine hem de İstanbul'da kentlilik bilincinin gelişmesine büyük katkı sağlayacağına inanıyoruz. Tarih, kültür, bilim, sanat, edebiyat gibi pek çok sahada İstanbul'un farklı yüzlerini tanıtan "İstanbul'un Yüzleri" serisini de İstanbul kent kültürüne bir katkı olarak yayınlıyoruz.

İstanbul Büyükşehir Belediyesi olarak İstanbul ile ilgili nitelikli yayınları bundan sonra da sizlerle buluşturmaya devam edeceğiz. Geçtiğimiz dönemde yeni müzeleri, tiyatro salonları ve sanatsal aktiviteleri ile dinamik bir kültürel merkez haline gelen ve kültür-sanat alanında uluslararası bir cazibe merkezi olan İstanbul'u her geçen gün daha ileriye taşıyacağız.

İstanbul'un 2010 Avrupa Kültür Başkenti seçilmesi nedeni ile başlattığımız "İstanbul'un Yüzleri" serisinin yayına hazırlanmasında emeği geçenlere teşekkür ediyorum. Bu vesileyle tüm İstanbullulara sevgi ve saygılarımı sunuyorum.

Kadir TOPBAŞ
İstanbul Büyükşehir Belediye Başkanı

Takdim

Ölümün kaçınılmaz gerçekliğini gözler önüne seren mezar taşlarının asıl yapılış amacı ziyaretçilere ölen kişinin kimliğini göstermesi ve dua beklediğini söylemesidir. Bu taşlarda köklü bir medeniyeti oluşturan öğelerin izini sürmek de mümkündür. Edebiyat, hat ve süsleme sanatlarının pek çok çeşidinin kullanıldığı mezar taşları bu anlamda birer kültür hazinesidir.

İstanbul'un 100 Mezar Taşı kitabı, mezarların biçimleri, taşlar üzerindeki yazılar ve kullanılan sembollerle mevta hakkında öğrenebileceklerimizin ipuçlarını vermektedir. Mezarda yatan kişinin kadın mı, erkek mi ya da çocuk mu olduğu, hangi meslekten olduğu, bağlı bulunduğu tasavvufi düşünce gibi bilgilere göre taşın formu değişiklik göstermektedir.

Elinizdeki eserde, İstanbul'un farklı dönemlerinde yaşamış, farklı dinlerden farklı yaş ve meslek gruplarından insanlara ait 100 mezar taşına yer verilmektedir. Sanatlı yazılarıyla, kitabelerindeki edebi üslupla, süslemelerindeki incelik ve işçilikle şehirdeki mezar taşlarına dair bilgi veren eserdeki mezar taşları; başlıklar, taşlardaki mistik öğeler, ağaç sembolleri, nar, incir, hurma sembolleri, geometrik şekiller gibi unsurları bulundurmaları bakımından incelenmiştir. Ayrıca mezar taşı kitabeleri yazı çeşidi yönüyle ele alınmış, fotoğrafları ve Latin harfleriyle yazılışları kitaptaki yerlerini almıştır.

İstanbul Büyükşehir Belediyesi Kültür A.Ş. olarak, kadim bir geleneğin yansıması olan mezar taşlarını bu kitapla sizlerle buluşturmaktan mutluluk duymaktayız. İstanbul'un 100 Mezar Taşı kitabının mezar taşlarına daha geniş bir perspektifle bakılmasını sağlayacağını ümit ediyoruz.

Kültür A.Ş.

Önsöz

Arapça kökenli bir kelime olan mezar kelimesi; "ziyaret yeri, ziyaret edilen ve ölünün gömüldüğü yer" anlamlarına gelir. Bunun yanında mezara; kabir, sin, makber, makbere medfen, inzivagâh, habgâh (uyku yeri) ve aramgâh-ı ebedi (sonsuz dinlenme yeri), halvetgâh-ı manevi (manevî görüşme yeri) gibi isimler de verilmiştir. Mevleviler, ölüler ve mezarlıklar için "susanlar, susmuşlar" anlamında "hamûşân" ifadesini kullanırlar. Toplu halde bulunan mezarlar ise mezarlık, mezaristan, kabristan veya hazire olarak anılır. Cami, tekke, türbe etrafında bulunan hususi mezarlıklar için ise hazire tabiri kullanılır. Mezarlar üzerine dikilen veya konulan taşlar; genellikle kapak taşı, baş taşı, ayak taşı olmak üzere üç kısımdan oluşur.

İlk Osmanlı mezarları tabut şeklinde, mermerden yapılmış ve üzerlerine ayetler yazılmıştır. Bu dönemde mezarda yatanın hüviyetine ve ölüm tarihine ait bir kayıt yoktur. Daha sonraları sandukaların üzerine yazılan ayetlerin yanında baş ve ayak taşlarına isim ve ölüm tarihlerini gösteren "kitabeler" yazılmaya başlanmıştır. Fatih zamanına kadar mezar kitabeleri Arapça yazılmıştır. Mezar taşı kitabelerinde, önceleri daha çok celî sülüs yazı çeşidi kullanılırken, sonraları harekesiz olması ve daha yalın olması sebebiyle ta'lik yazı tercih edilmiştir.

Mezarların biçimleri, taşlar üzerinde bulunan yazılar ve sembolik işaretler bize mezarda yatan kişi hakkında çeşitli bilgiler verir. Mezar taşlarından kabirde yatan kişinin kadın, erkek yahut çocuk mezarı olduğu kolayca anlaşılabilir. Mezar sahibinin mesleği, bağlı olduğu tasavvufi neş'esi taşın formunun belirlenmesinde önemli göstergelerdendir. Erkek mezar taşları üzerinde en sık görülen başlıklar; sarık, kavuk ve fes formundaki başlıklardır. Osmanlı mezar taşları üzerinde kişinin kimliğini belirten sembolik ifadeler çokça kullanılmıştır.

Devlet ve din adamlarının, askeri kurum mensuplarının, esnafın, sanatkârın, ilim adamlarının başlıkları birbirinden farklıdır. Mevlevi, Selimi, Yusufi, Celali, Mücevveze, Edhemi, Ahmedi, Cüneydi, Kallavi, Örfi, Serdengeçti, Düzkaş, Kalafat, Dardağan, Mollayi, Paşayi, Zaimi, Kâtibi, Kafesi, Perişani, Çatal, Horasani ve Silahşor gibi isimler alan serpuşlar devleti oluşturan sosyal sınıflar tarafından giyilirdi. Hayattayken giyilen serpuşlar, mezar taşlarının başlık kısımlarında kültürel sembol olarak kullanılmıştır.

Kâtibi kavuklar, İstanbul mezarlıklarında en sık rastlanan başlıklardandır. Kallavi kavuklar, Osmanlı yönetiminde sadrazam, Kubbealtı vezirleri ve kaptanıderyalar tarafından kullanılırdı.

II. Mahmud döneminde feslerin en güzel örneklerini görmek mümkündür. Bu dönemde giyilen feslere Mahmudi fes, Sultan Abdülaziz döneminde kullanılan feslere Azizi, Sultan II. Abdülhamid devrinde giyilen feslere de Hamidi fes adı verilmiştir. Mezarlıklarda en çok görülen fes Azizi fesidir. Fes, sarık ve sikkeler; baş taşının üst kısmında başlık olarak kullanıldığı gibi, taşların gövdesine kabartma olarak da işlenmiştir.

Yeniçeri mezar taşları, üzerlerindeki simge ve başlıklarla, Osmanlı mezar taşları içinde ayrı bir yere sahiptir. 101 yeniçeri ortasıyla 61 yeniçeri bölüğünün damgaları birer simge olarak taşlar üzerine işlenmiştir.

Cellat mezarları ayrı bir yerde bulunur, cellatlar ahalinin defnedildiği mezarlıklara gömülmezdi. Bu taşlar üzerinde beddua edilmesini engellemek için herhangi bir bilgiye de rastlanmazdı. 1.70-1.90 cm boylarında bulunan taşlardan günümüzde Piyerloti'ye çıkarken yeni defin yapılan mezarların arasında kalan sayılı mezar taşlarından başka örnek kalmamıştır. Bunlar da kaybolmak üzeredir.

Tarikat mensuplarına ait taşların başlıklarında mistik sembolizm oldukça barizdir. Hayattayken giyilen başlık, mezar taşının üst kısmında yer alır. Mesela Mevlevi mezar taşlarının başlık kısmı, tarikatın sembolü sayılan sikke formu şeklindedir. Mevlevi taşlarında kişinin tarikat içindeki statüsü çok belirgin ifade edilir. Tarikata intisap edip derviş olanların taşlarında destarsız dal sikke vardır. Şeyhlerin taşları destarlı sikke şeklinde olup birkaç türe ayrılır. Tarikata intisap edip yalnız muhib derecesinde kalanların mezar taşlarında ise, başlık olarak sikke yoktur.

Bektaşi şeyhlerinin mezar taşlarında çoğunlukla 12 terkli, yani dilimli Hüseyni ve 4 terkli Edhemi başlık kullanılmıştır. Bektaşilere ait mezar taşlarında ayrıca 12 köşeli teslim taşı ile teber ve keşkül gibi tarikat eşyalarına da rastlamak mümkündür. Kadiri ve Nakşi tarikatlarına ait mezar taşı başlıkları ise müjgânlıdır. Ayrıca Kadiri mezar taşlarında 18 köşeli yıldız ile 8 yapraklı gül motifli kabartmalar vardır. Diğer tarikatlara ait mezar taşları ise, başlarındaki terk sayısına göre ayırt edilirler. Bayramilerde 6, Celvetilerde 13 terkli başlık bulunur.

Tarikat taşları arasında en ilginç olanlar, Melami/Hamzavilere ait mezar taşlarıdır. Bu tarikat, özel derviş kıyafet ve taçlarını reddettiği için mezar taşlarında başlık bulunmaz. Melamiler bütünüyle gizlilik esasına uydukları için "bî ser ü bî pâ" denilen "başsız-ayaksız" anlamına gelen değişik taş formuyla rahatlıkla ayırt edilebilirler. Taşların üzerinde kişinin tarikatla ilişkisine ait bir bilgi yoktur. Yalnız isim ve mesleğinden bahsedilir.

Mezar taşlarında en yaygın kullanılan ağaç sembollerinden biri hayat ağacı motifidir. Hayat ağacı bolluk ve bereketin simgesidir. Meyveli ağaç, insan-ı kâmili temsil etmektedir.

Ölüm ve faniliğin sembolü olarak kullanılan servi ağacı da mezar taşlarında en çok rastlanan motiflerdendir. Kendine has bir kokusu olan ve yaz-kış yeşil kalan servi, vahdeti, yani birliği sembolize eder. Allah lafzının ilk harfi olan Elif'e de benzetilen servinin rüzgârda sallanırken çıkardığı "Hû" sesiyle Allah'ı zikrettiğine inanılır.

Haşhaş bitkisi ve çam kozalakları, ebedi uykuyu ve cenneti temsil etmektedir. Meyve motifi ölümsüzlük sembolüdür. Müslüman için hayatın meyvesi cennettir. Bu sebeple meyve, sembol olarak Allah'a dönüşü ifade eder. Mezar taşlarındaki meyve tabağı içinde yer alan nar, armut, üzüm, erik, kayısı, kavun, karpuz, ceviz, limon, hurma, incir gibi meyve örnekleri, hayat, bereket ve bolluk sembolü sayılmaktadır.

Zira nar, incir ve hurma Kur'an'da cennet meyvesi olarak anılmaktadır. Ayrıca, Hz. Muhammed'in hutbe verirken hurma ağacına dayanmasıyla ilgili olay da Müslümanlarca bu ağaca gösterilen sevginin tezahürünün sebeplerindendir.

Taşlar üzerinde sıkça görmeye alıştığımız geometrik biçimlerin kökü Orta Asya'ya dayanır. Eşkenar dörtgen, altıgen, kare ve daire; sonsuzun, kâinatın sembolleridir. İç içe geçmiş çok kenarlı geometrik biçimler her dönemde sevilerek kullanılmış olmasına rağmen Anadolu'da daha çok Selçuklular devrinde kullanılmıştır. İslam sanatında geometrik biçimler, sonsuzluk ve süreklilik göstererek Allah fikrini hatırlatır. Bir düzen içinde süregiden geometrik çizgiler; gücün, adaletin, genişliğin, sonsuzluğun sembolüdürler.

Anadolu mezar taşlarında yaygın kullanılan motiflerin başında kandil motifi gelir. Bu motif, ölünün yolunu aydınlatıcı bir mana ile yüklü ve bazı örneklerde kandilin karın kısmında "Allah" yazdığı için "Yaratıcı"yı sembolize eder. Anadolu'da ilk örneklerinin Selçuklular döneminde görüldüğü kandil motifi, günümüze kadar değişik kompozisyon ve biçimlerde sevilerek kullanılmış bir motiftir. Mezarda yatan kişinin kabrini aydınlattığına, onu karanlıklardan, yani bilinmeyen tehlike ve felaketlerden koruyacağına inanılır.

12. yüzyıldan itibaren çokça kullanılan lale motifi ise, vahdet-i vücudu yani Allah'ı sembolize etmektedir. Zira Allah ismindeki harfler ile lale kelimesinin yazılışındaki harflerin ebced hesabına göre sayı değerleri aynıdır. Hilal kelimesi de bu cümledendir. Lale ile gülün bir arada kullanıldığı örnekler de mevcuttur.

Gülün süsleme sanatlarında ve özellikle mezar taşları üzerinde görülmesinin sebebi ilahi güzelliği sembolize etmesi ve Hz. Muhammed'in remzi olmasından kaynaklanmaktadır. Bu yüzden verd-i Muhammedi veya gül-i Muhammedi isimleri de verilen gülün kokusunun, Hz. Muhammed'in kokusu olduğuna inanılır. Bu yüzden sarıklarda, kavuklarda ve diğer başlıklarda bu motife sıkça rastlanır. Başların tacı olan gül, aynı zamanda cennet çiçeğidir. İbrahim Peygamber'in ateşe atılınca gül bahçesine düştüğüne inanılır.

Mezar taşları üzerinde çok çeşitli çiçeklerin stilize edilerek kullanıldığı görülür. Bunun yanı sıra çiçeklerin natüralist yani tabiattan olduğu gibi alınarak da kullanıldığına şahit oluruz. Lale, gül, sümbül, karanfil, yıldızçiçeği, buhurumeryem, şakayık, küpe çiçeği, haseki küpesi, nergis, süsen ve birçok çiçek taşların üzerinde açmaya devam etmektedir. Sümbül motifi, Halvetiliğin ve Sünbüliye tarikatının sembolü olarak kullanılmıştır. Yasemin çiçeği, Hz. Fatıma'nın sembolüdür.

Kadın mezar taşlarında kadının takıları ve özellikle kadını simgeleyen süs motiflerine yani gerdanlık, küpe, broş, çiçek gibi motiflere oldukça sık rastlanır. Gelinlik çağına gelmeden ölen kızların mezar taşlarında kitabenin üzerinde gelinin boynunu ve hotozunu andıran kabartma ve işlemeler görülür. Taşın boyun kısmına çeyiz sembolü olan gerdanlık ve küpeler işlenir. Yüzün olduğu boşluğu da çiçekler doldurur. Uzaktan bakıldığında çiçeklere sarılmış bir kadın heykelini andıran taşlar, sembolizm açısından zirvedir.

Gelinlik çağında ölen genç kızların mezar taşlarına işlenen ters lale yahut ağlayan gelinçiçeği Doğu ve Güneydoğu Anadolu'da baharda açan, çiçekleri aşağıya bakan bir bitkidir. Ters lale, Hıristiyanlar için de kutsal bir çiçektir. Hz. İsa çarmıha gerildiğinde Hz. Meryem'in döktüğü gözyaşlarıyla yetiştiğine inanılan bu çiçek, Asurlularda her sabah göbeğinden su akıttığı için ağlayan lale adıyla anılmaktaydı.

Mühr-i Süleyman; bolluk, bereket ve güç sembolü olarak kullanılır. Motifin, Süleyman Peygamber'in yüzüğünden mülhem olduğu ve üzerinde ism-i azam'ın yazılı olduğu rivayet edilir. İsm-i azam ise, Allah'ın en büyük adıdır. Yahudiler bu işaretteki her açıya bir peygamber; İbrahim, İshak, Yakub, Musa, Harun ve Davud, isnat ederler. Yüzüğün üzerindeki üçgenler tılsımlı kabul edilir. Bir inanışa göre, üçgen stilize edilmiş bir gözdür. Bu açıdan ele alınca üçgenleri her yöne bakan gözler olarak kabul etmek mümkündür.

Türklerin mezar kültürü hakkında F. İsmail Ayanoğlu, "Dünyaya gelip göçen milletlerin hiçbirinin sahip olamadığı mezarlık kültürümüz hakkında diyebiliriz ki; ortada mevcut yüksek sanat eseri abidelerimiz olmasaydı bile, mezarlıklarımızda bulunan nihayetsiz eserler bu milleti medeniyet göklerine çıkarmaya kâfi gelirdi" diyor. Ancak bugün birçok tarihi eser gibi, maalesef tarihi mezarlık ve hazirelerimiz de hızla yok olmaktadır.

İstanbul'un 100 Mezar Taşı adlı çalışmada İstanbul mezarlık, hazire ve müzelerinde bulunan mezar taşlarının seçiminde; yüzyıl, meslek grupları, cinsiyet, estetik, şahsiyet, coğrafya, ölüm sebebi gibi kriterler göz önünde tutulmuştur. Bunun yanında taşlar; yazı çeşidi, serpuş, süsleme unsurları açısından da değerlendirilmeye çalışılmıştır.

İstanbul'da farklı din ve dönemlere ait mezarlara örnek olarak; Roma, Bizans, Musevi, Rum Protestan ve Ermeni Katolik mezar taşları çalışmaya dahil edilmiştir.

Sanatlı mezar taşlarındaki manzum kitabelerde ebced hesabı kullanılarak tarih düşürmenin çeşitli şekillerinin çokça kullanıldığı görülmektedir. Yine bu tür kitabelerde hattat imzalarına da rastlanmaktadır. Estetik değeri yüksek taşların yanında kültür tarihimize ait önemli mezar taşları da çalışma kapsamına alınmıştır.

Bu eserin hazırlanmasında verdikleri destek ve yardımlar için, kitabelerin okunmasında ve tashihinde yardımcı olan Üzeyir Karataş'a, Yrd. Doç. Dr. Burak Barutçu'ya, İstanbul Türbeler Müdürü Hayrullah Cengiz'e, İstanbul Arkeoloji Müzeleri idarecilerine, Saliha Dıraman'a, Fatih Ömeroğlu'na, Fatih Güldal'a, Şahkulu Sultan Dergâhı haziresindeki çalışmalarda yardımlarını gördüğüm Cafer Yıldız'a, Rum Ortodoks Mezarlığı'ndaki çalışmalardaki yardımları nedeniyle Spiro Hacıanastas, Zekeriya Karadaş ve Manol Seyisoğlu'na, Ermeni Katolik Mezarlığı Müdürü Karekin Çekiç'e, Tapu Kadastro Bölge Müdürü Sedat Cömertoğlu'na, Mezarlıklar Müdürlüğü Müdür Yardımcısı Fahrettin Yılmaz'a, Yemliha Aydoğan'a, Burak Albayrak'a ve bu kitabın ortaya çıkmasında desteklerini gördüğüm herkese teşekkürü bir borç bilirim.

Ali Rıza Özcan, Mayıs 2012, Fatih

Romalı Asker Aurelius Surus Mezar Taşı Bizanslı Poimenios Mezar Taşı **Ebu Said el-Hudri Mezar Taşı** Fetih Şehidi Hamza bin Hızır Mezar Taşı **Fetih Şehidi İbrahim Efendi Mezar Taşı** Mimar Atik Sinan Mezar Taşı **Mimar Ayas Mezar Taşı** Abdullah Nurullah Mezar Taşı **Şair Necati Bey Mezar Taşı** Hattat Şeyh Hamdullah Mezar Taşı **Kaptanıderya Sinan Paşa Mezar Taşı** Şeyhülislam Ebussuud Efendi Mezar Taşı **Kilercibaşı Osman Ağa Mezar Taşı** Hattat Abdullah Kırımi Mezar Taşı **Derviş Paşazade Mehmed Bey Mezar Taşı** Hoca Sadeddin Efendi Mezar Taşı **Hattat Demircikulu Yusuf Mezar Taşı** Kâtip Çelebi Mezar Taşı **Hüseyin Ağa Mezar Taşı** Şair Nedim Mezar Taşı **Mollacıkzade Ailesi Mezar Taşı** Kapıcıbaşı Ahmed Bey Mezar Taşı **Saliha Hatun Mezar Taşı** Kazancı Mehmed Mezar Taşı **Seyyid Lütfullah Efendi Mezar Taşı** Server Dede Mezar Taşı **Saliha Sultan Mezar Taşı** Kadıasker İshak Efendi Mezar Taşı **Çukadar Mustafa Ağa Mezar Taşı** Süleyman Sadeddin (Müstakimzade) Mezar Taşı **Cellat Mezar Taşları** Ters Lale Motifli Mezar Taşı **Sünbüli Seyyid Abdülkadir Efendi Mezar Taşı** Hatice Hanım Mezar Taşı **Hattat İsmail Zühdi Efendi Mezar Taşı** Çukadar Ahmed Ağa Mezar Taşı **Serdengeçti Hüseyin Ağa Mezar Taşı** Çelebi Reşid Efendi Mezar Taşı **Harbacı İsmail Beşe Mezar Taşı** Şerife Hanife Hanım Mezar Taşı **Ali Rıza Paşa Mezar Taşı** Seyyid Halil Ağa Mezar Taşı **Derviş Emin Efendi Mezar Taşı** Mehmed Esad Yesari - Yesarizade Mustafa İzzet Efendi Mezar Taşları **Müşir Mahmud Paşa Mezar Taşı** Mehmed Niyazi Paşa Mezar Taşı **Ahmed Bican Efendi Mezar Taşı** Ateş Mehmed Salih Paşa Mezar Taşı **Kolağası Rifat Bey Mezar Taşı** Momdjian Ailesi Mezar Taşı **Adile Hanım Mezar Taşı** Seyyid Ebubekir Mümtaz Efendi Mezar Taşı **Hattat**

Mehmed Hulusi Efendi Mezar Taşı Kadıasker Muştafa İzzet Efendi Mezar Taşı **Hasan Rıza Paşa Mezar Taşı** İkos K. İliasku Ailesi Mezar Taşı **Kaptanıderya Kayserili Ahmed Paşa Mezar Taşı** Esrari Hızır Baba Mezartaşı **Mehmed Hıfzi Efendi Mezar Taşı** Kaptan Tatarzade İbrahim Paşa Mezar Taşı **Halil Efendi ve Fatma Hanım Mezar Taşı** Sadullah Rami Paşa Mezar Taşı **Mehmed Abdülhalim (Halim) Paşa Mezar Taşı** Kayışzade Hafız Osman Efendi Mezar Taşı **Mehmed Nafiz Paşa Mezar Taşı** Osman Nuri Paşa Mezar Taşı **Fatma Hayriye Hanım Mezar Taşı** Hattat Abdullah Hamdi Bey (Muhsinzade) Mezar Taşı **Halil Rıfat Paşa Mezar Taşı** Ohannes Sakızyan Paşa Mezar Taşı **Sa'id Ünsi Efendi Mezar Taşı** Mehmed Sadeddin Efendi Mezar Taşı **Müşir Mehmed Şakir Paşa Mezar Taşı** Şehabeddin Bey-Nazire Hanım Mezar Taşı **El-Hac Ahmed Efendi Mezar Taşı** Metropolit Haldias Krillos Mezar Taşı **Seyyid Ahmed Efendi Mezar Taşı** Müşir Gazi Edhem Paşa Mezar Taşı **Fatma Şeref Hanım Mezar Taşı** Ahmed Midhat Efendi Mezar Taşı **Hattat Sami Efendi Mezar Taşı** Ali Nusret Bey Mezar Taşı **Mahmud Şevket Paşa Mezar Taşı** Şehit Denizci Haydar Efendi Mezar Taşı **Gazi Ahmed Muhtar Paşa Mezar Taşı** Fatih Türbedarı Ahmed Amiş Efendi Mezar Taşı **Serasker Mehmed Rıza Paşa Mezar Taşı** Said Halim Paşa Mezar Taşı **Ziya Gökalp Mezar Taşı** Hacı Nazif Çelebi Ailesi Mezar Taşı **Mimar Kemaleddin Mezar Taşı** İbrahim Kemaleddin Edhem Efendi Mezar Taşı **Musa Baba Mezar Taşı** Zaro Ağa Mezar Taşı **Mehmet Akif Ersoy Mezar Taşı** Fatma ve Fahreddin Kalemcioğlu Mezar Taşı **Hattat Abdülkadir Saynaç Mezar Taşı** İzzet İsrael Gutentag Mezar Taşı **Fatma Gevheri Osmanoğlu Mezar Taşı** Ord. Prof. Dr. A. Süheyl Ünver Mezar Taşı

1

ROMALI ASKER AURELİUS SURUS MEZAR TAŞI

~

İstanbul Arkeoloji Müzeleri'nde bulunan ve kitabesi Roma kapital harfleriyle yazılmış mezar taşı erken Roma dönemine aittir.

İstanbul Arkeoloji Müzesi'nde bulunan mezar taşı erken Roma dönemine aittir. 1. yüzyıla tarihlenen mezar taşı Beyazıt'ta bulunmuştur. Üçgen alınlıklı taşın üzerinde Romalı bir asker (lejyoner) rölyefi yer almaktadır. Rölyefin alt tarafında bulunan kitabe dokuz satır halinde Roma kapital harfleriyle ve harflerin zemini oyularak mermere hakkedilmiştir. Harfler serifli, yani tırnaklıdır. Kitabenin anlamı şöyledir:

"Yeraltı Tanrılarına vaktiyle 18 yıl hizmet veren, 40 yıl yaşayan I. Lejyon'un dindar ve sadık hizmetkârı borazancı Aurelius Surus'a, mirasçısı ve Lejyon arkadaşı Suriyeli Septimus Vibianus (bunu) hediye etti. Göreve bağlılığıyla övüldü."

Aurelius Surus'un rölyef figürlü mezar taşı

▼

Romalı asker kıyafetiyle tasvir edilen figür bir elinde mızrak, bir elinde borazan tutmaktadır. Borazan tutmasının sebebi kitabede de belirtildiği üzere askerin borazancı olmasıdır. Ayaklarının yanında ise kalkan ve miğfer resmedilmiştir. Yüz kısmı ve mızrağı tutan eli tahrip olmuştur. Harflerin yukarıdan aşağıya doğru her satırda biraz daha küçüldüğü görülür. Kelimeler arasında yaprak motifleri dikkati çeker.

2

BİZANSLI POİMENİOS MEZAR TAŞI

~

Bizans'ın ilk mezarlığı Sultanahmet'te, Binbirdirek Sarnıcı'nın bulunduğu kesimdeydi. Tarihi MÖ 6. yüzyıla kadar giden ve MÖ 4. yüzyıldan itibaren genişleyen mezarlık alanı, batıya doğru kaydı. Sultanahmet'te Trakya Kapısı'ndan başlayan mezarlık bölgesi yolun her iki tarafında devam eder, Beyazıt-Laleli-Süleymaniye üçgeninde yoğunlaşırdı.

Mezar taşları önceleri Yunanistan'ın Attik bölgesinden ithal edilir ve mezar taşları üzerine çeşitli konular işlenirdi. Bu konular genelde yatakta uzanmış, elinde çelenk ya da kadeh tutan erkek, ayak ucunda kadın, küçük boyutta gösterilen yardımcılar, önde ise bir masadan oluşurdu. Bunun dışında; oturan yahut ayakta duran kişiler, atlı figürler ve eşyalar da konu edilirdi.

Kuruçeşme'de bulunan mermer mezar taşı kitabesi üzerinde Hz. İsa'nın monogramı, alfa ve omega harfleri ile üstte simetrik olarak düzenlenmiş iki yunus ve her iki yanda bir kuş figürü yer almaktadır.

İstanbul Arkeoloji Müzesi'ndeki Poimenios'a ait mezar taşı, 5.-6. yüzyıla ait bir taştır. Kuruçeşme'de bulunan mermer mezar taşı kitabesinin üzerindeki alınlıkta, Hz. İsa'nın monogramı (kristogram), monogramın içinde alfa ve omega harfleri ile üstte simetrik olarak düzenlenmiş iki yunus ve yanlarda birer kuş figürü yer almaktadır. Monogramın içinde büyük harflerle "A" ve "W" harfleri okunmaktadır. Monogramın altında kalan mermere majiskül harflerle kazınmış kitabede,

"Eli tez ve becerikli hizmetçi imparatorun yardımcısı, içinde büyük umutlar için çiçek açmış olan Poimenios (...) yaşında"

ifadeleri okunur. Kitabenin alt kısmı kırık olduğu için kitabenin devamı okunamamıştır. Kitabenin yazıldığı mermerin üzerinde dört delik mevcuttur.

Poimenios'un bir kısmı kırılmış balık ve kuş figürlü mezar taşı kitabesi ▼

3

EBU SAİD EL-HUDRİ MEZAR TAŞI

~

Kariye Müzesi'nin yanındaki yokuşun başında bulunan mezar, Ebu Said el-Hudri Hazretlerine ait makam kabridir.

Fatih Kariye'de, Kariye Müzesi'nin yan tarafındaki yokuşun başında bulunan mezar, Ebu Said el-Hudri Hazretlerine ait makam kabridir.

Medine'nin Hazrec kabilesinden olup daha çok künyesiyle tanınan ve Hudri nisbesini dedelerinden alan Ebu Said, 1.170 hadisle en fazla hadis rivayet eden yedi sahabeden biridir.

Ebu Said el-Hudri, "imam" ve "Medine müftüsü" olarak anılmış ve pek çok fetvası kaynaklarda yer almıştır. Ebu Said, vefatından bir süre önce oğlu Abdurrahman'ı Cennetü'l-Bâki"a götürerek öldüğü zaman gömülmeyi istediği uzak bir köşeyi göstermiş; üzerine türbe yapılmamasını, arkasından yas tutulmamasını vasiyet etmiştir. 74 (693-694) yılında Medine'de vefat etmiş ve istediği yere gömülmüştür.

Ebu Said el-Hudri'nin makam kabrinin celî sülüs kitabesi

▼

Diğer bazı sahabeler gibi Ebu Said-i Hudri'nin de İstanbul'da Kariye Camii yakınında bir makam-kabri bulunmaktadır. İstanbul'un kuşatılması sırasında şehit düştüğü ve buradaki türbede medfun olduğuna dair çeşitli eserlerde kaydedilen bilginin ise gerçekle ilgisi yoktur.

Mezarın başına dikilmiş taş üzerindeki yazıdan mevcut taşın çok sonraları yazıldığı anlaşılmaktadır. Beş satır halinde celî sülüs hatla yazılan üstüvani taşın zemini yeşil renkle, harfleri ise yaldızla boyanmıştır. Ayak taşı bulunmayan mezarın üzerinde bir çitlembik ağacı bulunmaktadır.

Mezar taşının kitabesi,

"Yâ Hû
Ashâb-ı Kirâmdan
Ebî Saîd el-Hudrî
Radiyallahu anh
Hicret 46" (m. 666/667)

şeklindedir. Türbenin etrafını çevreleyen duvarlar üzerinde Ebu Said el-Hudri hakkında ifadeler bulunan iki kitabe daha yer almaktadır.

4

FETİH ŞEHİDİ HAMZA BİN HIZIR MEZAR TAŞI

(1453)

~

Şehzade Camii'nin karşısında Gençtürk Caddesi'nin yakınındaki mezarlıkta bulunan mezar, İstanbul'un en eski mezarlarından biridir. Fatih zamanında sekbanbaşı, yeniçerilerin en büyük kumandanı olup, kethüdası da genelkurmay başkanı mahiyetindeydi. Hamza bin Hızır, on sekiz sekban ile beraber İstanbul'un fethi sırasında şehre girmiş ve Şehzade Camii civarında 18 Sekbanlar Sokağı'nda şehit olmuşlardır. Bu şehitliğe zamanımıza kadar da başka kimse gömülmemiştir.

Hamza bin Hızır, on sekiz sekban ile İstanbul'un fethi sırasında şehre girmiş ve Şehzade Camii civarında şehit olmuşlardır.

Hamza bin Hızır'a ait mezarın günümüzdeki hali

H. Nihal Atsız, "İstanbul'un Fetih Yılına Ait Bir Mezar Taşı" adlı yazısında Hamza bin Hızır hakkında "mezar taşındaki kethüdâ-yı şühedâ-yı sekban sözlerinden Hızır Oğlu Hamza'nın mutlaka umum sekban kethüdası olduğu mânâsını çıkarmak doğru değildir. Bu söz, orada şehit düşen sekbanların kumandanı yahut en kahramanı mânâsına da gelebilir" demektedir.

F. İsmail Ayanoğlu ise, "Fatih Devri Ricali Mezar Taşları ve Kitabeleri" adlı makalesinde 1880'li yıllarda bu sahaya bir şahsın defnedildiğininden, ancak halk tarafından cesedin mezardan çıkarılarak başka bir mezarlığa defnedildiğinden bahsetmektedir.

▲ *Mezarın celî sülüs kitabeli baş taşı*

Mezarın baş taşı kitabesinin okunuşu şu şekildedir:

"Hüve'l-Hallâku'l-Bâki
Kethüdâ-yı
Şühedâ-yı sekbanân
Hamza bin Hızır
Hazretleri'nin rûhuna Fâtiha
Sene 857 (m. 1453)"

Bugün mevcut kitabeli mezar taşı, sonradan yenilenmiş mezar taşıdır. Sarık serpuşlu ve beş satır celî sülüs yazıyla yazılan ve mermere hakkedilen taşın durumu oldukça iyidir. Mezarın ayak taşı yoktur. Ayak kısmında biri diğerlerinden yüksekçe birbirine bağlı dört adet silindir formunda yükselti vardır.

5

FETİH ŞEHİDİ İBRAHİM EFENDİ MEZAR TAŞI

(1453)

~

İstanbul'un fethi esnasında suriçinde şehit olan askerlerin defni hususu Fatih Sultan Mehmed'e arz edildiğinde "şüheda"nın şehit düştükleri yerde defnedilmelerini ve şehrin tanziminin bu mezarlara göre ayarlanmasını ferman buyurmuştur.

Zeyrek semtinde bulunan mezarın üzerinde bir ağaç vardır ve mezarın etrafı tuğlayla örülmüştür.

Fatih Zeyrek'te bulunan mezar, Zeyrek Camii'nin yakınındadır. Mezarın üzerinde bir ağaç vardır ve etrafı tuğlayla örülmüştür. Ayrıca baş ve ayak tarafında 1953'te yaptırıldığına dair Latin harfleriyle yazılmış, büyükçe bir mermer kitabe vardır.

◂ *Fetih şehidi İbrahim Efendi'nin kabri*

Mezar taşı kitabesi beş satır halinde celî sülüs hatla yazılmıştır:

"Hüve'l-Hallâku'l-Bâkî
Fâtih Sultân Mehmed Hân
Alemdârı merhûm şehîd
İbrahim Efendi'nin rûhuna Fatihâ
Sene 857 (m. 1453)"

Üstüvani baş taşının tamamı nefti yeşil renge boyanmıştır. Zaman içerisinde üst üste sürülen boya tabakası o kadar kalındır ki kitabe neredeyse okunmayacak hale gelmiştir. Ayak taşı olmayan mezar üzerinde mevcut Latin harfli kitabede "Gelenbevi Ortaokulu 500'üncü Fetih Yıldönümünü Kutlama Kolu tarafından yaptırılmıştır" yazılıdır. Baş ve ayak tarafında iki adet bulunan bu kitabenin baş tarafındaki ortadan ikiye kırılmıştır.

MİMAR ATİK SİNAN MEZAR TAŞI

(1471)

~

Duvarında yer alan iki kumru kabartmasından dolayı "Kumrulu Mescit" olarak bilinen caminin haziresindeki mezar taşı Fatih dönemine aittir.

▲ *Mimar Atik Sinan'ın mezar şahidesi*

Tam adı, Sinaneddin Yusuf bin Abdullah olan ve "Azadlı Sinan" adıyla bilinen "Atik Sinan", Türk mimarlık tarihinde önemli bir yere sahiptir. Doğum tarihi bilinmeyen sanatkârın bugün mevcut taşından 27 Rebiülevvel 876'da (13 Eylül 1471) vefat ettiği anlaşılmaktadır. Kabri Fatih'te yaptırdığı caminin haziresindedir.

Duvarında yer alan iki kumru kabartmasıyla "Kumrulu Mescit" olarak tanınan caminin haziresindeki mezar taşı Fatih dönemine aittir. Fatih Camii'nin mimarı olduğu ve bazı tarihi kaynaklarda caminin sütunlarını kısalttığı için Fatih Sultan Mehmed tarafından ellerinin kesildiği yolunda rivayetler varsa da bu gerçek değildir.

Üstü açık sandukası küfekiden, kitabeli taşları mermerden yapılmıştır. Baş taşı iki yerinden kırık ve kenetlidir. Baş ve ayak taşı üzerindeki dendanlı tepelik üzerinde yer alan Rumi motifleriyle kitabenin yazıldığı hatlar döneminin sanat anlayışını göstermektedir. Celî sülüs yazıyla yazılan ve ifade açısından bozuk olan Arapça kitabesinin okunuşu aşağıdaki şekildedir:

Ayak taşının iç kitabesi:

"Eşhedüen lâ ilâhe
İllallah ve eşhedü enne Muhammeden resûl
Allah kad intikalü'l-merhûmi'l-mağfûr Sinân
El-mi'mâr min dârü'l-fenâi ilâ dâr"

Baş taşın iç kitabesi:

"Leyletü'l-Cuma'tü vakt
El-a'şâi fi'l-gâr seb'a ışrîn
Rebîü'l-evvel senetü seb'în ve semâne mie
Tarafü'l-bahar rabbi ec'al"

Ayak taşın dış kitabesi:

"Da'ye ahîr mine'l-ehyâr
Kâne târîh hatm aynah
Lâh-ı cennetü'l-ilâhe tâbe serâh"

◂ *Kumrulu Mescid haziresinde medfun Atik Sinan'a ait mezar*

Kitabelerin meali şöyledir:

"Allah'ın affına ve inayetine mazhar olan Mimar Sinan, ölümlü dünyadan 876 yılının Rebiülevvel ayının yirmi yedinci günü (m. 13 Eylül 1471) perşembeyi cumaya bağlayan gece akşam namazından sonra, deniz kıyısındaki karanlık hapishanede şehit edilerek, ölümsüz dünyaya göçtü. Allah, onu kabir ve cehennem azabından korusun..."

▲

Mimar Ayas'ın mezarı

MİMAR AYAS MEZAR TAŞI

(1487)

~

Dönemin celî sülüs yazı anlayışıyla yazılan kitabelerin süslemelerinde yine dönemine ait Rumi motifler simetrik düzenlemeyle kullanılmıştır.

Doğum tarihi ve yeri bilinmeyen Ayas Ağa'nın babasının adı Abdullah'tır. Kaynaklar Fatih dönemindeki mimari faaliyetlerde, dönemin ünlü mimarı Atik (Azadlı) Sinan ile birlikte özellikle Fatih Külliyesi'nin inşasında görev aldığını yazarlar. 879 (m. 1474-1475) tarihli bir vakfiyeden biri Afyonkarahisar'da olmak üzere iki cami ve bir mektep yaptığı ve mallarını bu hayrata bağışladığı öğrenilmektedir.

İstanbul Şehzadebaşı'nda Mimar Ayas Mescidi (Saraçhanebaşı Mescidi) ve Mimar Ayas Mektebi olarak bilinen iki yapı, 1957 yılında mimarın mezarıyla beraber yol açmak için ortadan kaldırılmıştır. Mezar taşları Eyüp'te Kızıl Minare ile Zal Mahmud Paşa Camii karşısındaki mezarlığa nakledilmiştir.

Mezarın kaide kısmı küfeki taşından, baş ve ayak taşları mermerden yapılmıştır. Ayak taşı alt kısmından kırıktır. Dönemin celî sülüs yazı anlayışıyla yazılan kitabelerin süslemelerinde de yine dönemine ait Rumi motifleri dikkat çekicidir. Rumili kompozisyonlar baş ve ayak taşlarının arkasına ve taşın tamamına simetrik olarak uygulanmıştır. Ayak taşının üst kısmında yine simetrik olarak Rumilerden oluşan bir kompozisyon bulunur. Muhtemelen baş taşının üst kısmında da benzer süsleme mevcuttu.

892 (m. 1487) tarihli mezar taşı kitabelerinin okunuşu şöyledir:

Baş taşı:

"El-mağfûr el-
Üstâdi'l-Mi'mâr Ayas"

Ayak taşı:

"Rahmetullahi aleyh rahmeten
Vâsi'a sâmin aşer fî
Rebiü'l-âhir fî sene 892 (m.13 Nisan 1487)"

Günümüzde mezar taşlarının her tarafının mavi renge boyandığı görülmektedir.

8

ABDULLAH NURULLAH MEZAR TAŞI

~

Eyüp semtinde Ebu Eyyübe'l-Ensari Türbesi'nin arkasından Piyerloti'ye çıkan yokuşun sol tarafındaki yola yakın mezar taşı, yazıları ve süslemeleriyle 15. yüzyıla ait bir şahidedir. Baş taşının üst tarafı kemerli olup, alt tarafta kare formuna yakın iki alan içinde yazılar mevcuttur. Tac kısmında döneminin yazı anlayışıyla yazılmış celî sülüs hatla *"ilâ dârü'l-bekâ el-merhûm"* ibaresi okunmaktadır. Zencereklerle birbirinden ayrılmış iki parçanın ilkinde yine celî sülüsle *"el-mağfûr Hâc Süleymân bin"* ibaresi altında da *"Abdullah Nûrullah kabrehu"* ifadesi okunmaktadır. İbarede "Abdullah" ve "Nurullah" ibarelerinde geçen "Allah" lafızlarının imlası dikkat çekicidir; elif, lam ve he harflerinin alışılmışın dışında bir yazım şekli kullanılarak yazıldığı bir örnektir.

Mezar taşı üzerinde yer alan yazılarda, dönemin Rumi motifleri kullanılarak yazıdaki boşluklar doldurulmuştur. Taşın her iki tarafında diyagonal çizgilerle süslenmiş sütunçeler yer alır. Sütunçe başlarına ve sonlarına burma kum saatleri işlenmiştir. Mezarın ayak taşı yoktur. Mezar yerinin taşın bulunduğu yer olup olmadığı da belli değildir.

Abdullah ve Nurullah ibarelerindeki "Allah" lafzının imlası dikkat çekicidir.

▲ *Abdullah Nurullah'a ait baş taşı kitabesi*

9

ŞAİR NECATİ BEY MEZAR TAŞI

(1509)

~

Necati Bey, Fars edebiyatı tesirinde gelişen Divan şiirinin birkaç asır süren millileşmesi macerasında, dil, ses ve içeriğiyle olgun örneklerinin verilmeye başlandığı 15. yüzyılın Ahmed Paşa'yla birlikte en önemli şairidir. Doğum tarihi bilinmeyen Necati Bey'in asıl adının "İsa", bazı kaynaklarda da "Nuh" olduğu yazılıdır.

Necati Bey'in mezarı Unkapanı'nda, Kâtip Çelebi ile İstanbul'un ilk kadısı Hızır Bey'in kabrinin yanındadır.

▸ Baş taşının arka yüzü devrin anlayışına uygun hazırlanmış simetrik Rumi motifleriyle süslüdür.

Necati Bey'in mezarı Unkapanı'nda, İMÇ bloklarının arasında, Kâtip Çelebi ile İstanbul'un ilk kadısı Hızır Bey'in kabrinin yanındadır. Şairin ömrünün son demlerinde Vefa semtinde oturduğu, burada vefat ettiği ve kabrinin yerinin bilinmediği kaynaklarda geçmektedir. Mevcut mezar, şairin hatırasını yaşatmak adına sonradan yaptırılmıştır. Ayak taşı olmayan mezarın baş taşının her iki yüzü de işlenmiştir. Mezar kitabesi, celî ta'lik ve Latin harfleri kullanılarak yazılmıştır. Taşın arka yüzünde ise devrine ait Rumi motifler kullanılarak hazırlanmış simetrik bir kompozisyon yer almaktadır. Fatih devrine ait desenin işlendiği taşın arka yüzü taş işçiliğinin güzel uygulandığı bir mezar taşı örneğidir.

Mezarın baş taşı kitabesinin ön yüzünde,

"Hüve'l-Bâki
15. Asır Divan edebiyatı şairlerinden
Necati Beyin kabridir
ölüm tarihi
27 Mart 1509 m.
25 zilkade 914 h.
Nakl-i Necâti âleme târîh olmağın
Târîhini Sehî dedi gitdi Necâti Hay,
Bir seng-dil firâkına ölen Necâti'nin
Billahi mermer ile yapasuz mezârını
Necati beg
Rûhuna el-Fâtiha"

ifadeleri okunmaktadır. Desen ve yazılar mermere mahkuk olup, mezarın yaptırıldığı tarihe ait bir kayıt yoktur.

▲
Necati Bey'in mezar taşı kitabesi

10

HATTAT ŞEYH HAMDULLAH MEZAR TAŞI

(1521)

~

Türk hat sanatının büyük ustası Şeyh Hamdullah Efendi, Karacaahmet Mezarlığı'nda dokuzuncu adada medfundur. Kabrinin etrafı kendinden sonra vefat eden hattatların gömülmeyi arzu ettikleri yer olmuştur. Bundan dolayı hattatın mezarının bulunduğu mahal, "Hattatlar Sofası" yahut "Şeyh Sofası" olarak da bilinir.

Aslen Amasyalı olan Şeyh Hamdullah, babası Mustafa Dede'nin Buhara'dan göç etmesi ve şeyh olması dolayısıyla "İbni'ş-Şeyh" mahlasıyla da tanınır. Sultan II. Bayezid'in Amasya'daki şehzadeliği sırasında kendisine hocalık etmiştir. II. Bayezid padişah olduktan sonra hocasını İstanbul'a davet etmiştir.

Şeyh'e ait muhakkak-reyhanî hatla yazılmış kıt'a

Şeyh Hamdullah'ın kabrinin etrafı kendinden sonra vefat eden hattatların gömülmeyi arzu ettikleri yer olmuştur. Bu yüzden mezarının bulunduğu yer, "Hattatlar Sofası" yahut "Şeyh Sofası" olarak da bilinir.

Şeyh Hamdullah, hat sanatının yanında okçulukla da meşgul olmuş ve Okmeydanı'ndaki Okçular Tekkesi'nin şeyhliğinde bulunmuştur. "Şeyh" unvanının sebebi bundandır. Şeyh Hamdullah'ın vefatından sonra isteği doğrultusunda mezar taşı dikilmemiştir. Yaklaşık 150 yıl sonra meşhur hattatlardan Hattat Hafız Osman, kabrinin kaybolmaması amacıyla rivayete göre kendi, başka bir rivayete göre bir dostunun rüyada "Evladım bak, benim taşım yazılıdır" hitabı üzerine izin çıkmadığına kanaat getirmiş ve yazmaktan vazgeçmiştir. Ancak Sultan II. Mustafa'nın saray hattatı Şahin Ağa bu manevi uyarıya itibar etmemiş ve bugün mevcut olan üstüvani taşın üzerindeki iki satırlık celî sülüs yazıyı yazmıştır. Ancak Şahin Ağa yazıyı yazdıktan bir hafta sonra vefat etmiştir.

Şeyh Hamdullah'ın mezar taşının eski fotoğraflarında görülmeyen h. 927 tarihi taşa sonradan eklenmiştir.

Mezar taşı kitabesinin okunuşu şöyledir:

"Reîsü'l-hattâtîn Hamdullah
El-ma'rûf bi-İbni'ş-Şeyh rahmetullahi aleyh
H. 927 (m. 1521)"

Kitabeyi oluşturan yazıların içine farklı çiçek motifleri işlenmiştir. Üstüvani taşın üst tarafında tepelik formlarından oluşturulmuş bir pervaz döner.

Şeyh Hamdullah'a ait mezar taşı

11

KAPTANIDERYA SİNAN PAŞA MEZAR TAŞI

(1558)

~

Sinan Paşa, Sadrazam Rüstem Paşa'nın kardeşidir. Enderun'da yetişti. Kanuni Sultan Süleyman döneminde 1550-1554 arasında kaptanıderyalıkta bulundu. Sinan Paşa'nın kabri, Beşiktaş'taki kendi yaptırdığı camide değil, Üsküdar'daki Mihrimah Camii mihrabı önündeki hazirededir. Vefatı yaptırdığı caminin bitiminden iki sene önce olduğu için Üsküdar'da gömüldüğünde kaynaklar müttefiktir.

Mezar, Mimar Sinan devri mezar taşı işçiliğinin şaheser bir örneğidir. Mezar, etrafı açık ve kenarında iri kavallı bir silme dolaşan taş bir lahittir. Baş taşının sağında kartuş içinde "Küllü nefsin zaikatü'l-mevt", sol tarafta ise: "Küllü men aleyhâ fan" ayetleri yazılıdır.

Mezar, Mimar Sinan devri mezar taşı işçiliğinin şaheser bir örneğidir. Baş taşı üzerinde düşey dilimli sarık olarak da adlandırılan mücevveze serpuş, Osmanlı mermer işçiliğinin en güzel örneklerinden biri olarak dikkati çekmektedir.

▲ *Mezarın baş taşı üzerindeki mücevveze serpuş*

Mezar taşı kitabesi baş taşının ön yüzünde şu şekildedir:

"Lâilâhe illallah Muhammedün Resûlullah
El-merhûm el-mağfûr
İlâ rahmetillâh-i te'âlâ
Kapudân Sinân Paşa
Rûhuna Fâtiha"
Sittetün ve sittîn ve tis'a mie (h. 966 / m. 1558)"

Baş taşının arka yüzünde, "O günde ki ne mal fayda verir o gün, ne evlat; ancak Allah'a şirkten ve şüpheden arınmış bir gönülle gelen faydalanır" mealindeki Şuara sûresinin 88. ve 89. ayetleri yazılıdır: *"Yevme lâ yenfe'u mâlün ve lâ benûn illâ men ete'Allahe bi kalbin selîm"*

Ayak taşında ise şu ifadeler okunmaktadır:

"Kim bu merhûmu duâyile ana
Hak te'âlâ rahmet eylesün âna"
Yûsuf-ı sânî idi ahbâba
Görünürdü adüv gözüne Sinân
Sıhriyâ gel duâ-yı hayr edelim
Rûh-i pâkini şâd eyle Sübhân
Hâtif-i gaybdan dediler târîh
Daldı rahmet denizine kapudân
Fî şehr-i Muharrem
Sene 966 (m.1558)"

Sinan Paşa'nın Üsküdar Mihrimah Sultan Camii haziresindeki mezarı

Mezarın baş taşı üzerinde kavuk yüksekliği 65 cm., orta çevresi 136 cm. olan düşey dilimli sarık olarak da adlandırılan mücevveze serpuş, Osmanlı mermer işçiliğinin en güzel örneklerinden biri olarak dikkati çekmektedir.

ŞEYHÜLİSLAM EBUSSUUD EFENDİ MEZAR TAŞI

(1574)

~

Ebussuud Efendi Eyüp'te, kendi yaptırdığı Sıbyan Mektebi'nin haziresinde medfundur. Camii-i Kebir Caddesi üzerinde bulunan hazirenin arkasında Saçlı Abdülkadir Efendi Camii, sol tarafında ise Sokullu Mehmed Paşa Türbesi bulunmaktadır.

Ebussuud Efendi Eyüp'te kendi yaptırdığı Sıbyan Mektebi'nin haziresinde medfundur. Büyük Türk bilgini ve devlet adamı, 1545'te şeyhülislam olmuş ve bu görevde yirmi dokuz yıl kalmıştır.

1490'da İskilip'te doğan Ebussuud Efendi, "Hoca Çelebi" olarak da bilinir. Ayrıca kendisine "İkinci Ebu Hanife" ve "Hatimetü'l-Müfessirin" adları verilmiştir. Büyük Türk bilgini ve devlet adamı, Ekim 1545'te şeyhülislam olmuş ve bu görevde yirmi dokuz yıl kalmıştır. Dedesi Mustafa İmadi, tanınmış Türk bilgini Ali Kuşçu'nun kardeşidir.

Osmanlı ilim dünyasının önderlerinin hocası olan Ebussuud Efendi'nin talebeleri arasında Hoca Sadeddin Efendi, Bostanzade Mehmed Efendi, Sunullah Efendi, Kınalızade Hasan Çelebi, Şair Baki, Aşık Çelebi öne çıkan isimlerdir. 23 Ağustos 1574'te İstanbul'da vefat eden Ebussuud Efendi'nin Türkçe, Farsça ve Arapça olmak üzere yirmiden fazla eseri vardır. Bunların en ünlüsü 1559'da yazdığı iki ciltlik *İrşadü'l-Aklı's-Selim ilâ Mezaya'l-Kurani'l-Azîm* adlı Arapça Kur'an-ı Kerim tefsiridir.

Mezarın Arapça olan baş taşı kitabesinin okunuşu şöyledir:

"Lâ ilâhe illallah Muhammedü'r-resûllullah
Rabbenâ âtina fi'd-dünyâ haseneten ve fi'l-âhireti
Haseneten ve kınâ azâbe'n-nâr rabbenâ âtina
Min ledünke rahmeten ve heyyi' lenâ min emrinâ raşedâ"

Arapça ayak taşı kitabesinin okunuşu şöyledir:

"Teveffâ ilâ rahmeti'l-lâhi Sübhânehu abduhu'r-râci afvühû ve gufrânehû
Fazlu'l-müteahhirîn hâtimetü'l-müfessirîn el-mevâliyü'l-allâme
El-müfti Ebus-suûd bevâhullahu(?) teâlâ dârü'l hulûd
Yevmi'l-ehad leyleti'l-hâmis min şehr-i Cemâziye'l-âhire
Li-sene 982 (22 Eylül 1574)"

Şeyhülislam Ebusuud Efendi'ye ait mezar taşı

▼

Mezar taşı üstüvani olup, yazılar kabartma olarak taşa hakkedilmiştir. Yazı zeminleri mermer renginde bırakılan kitabelerin harfleri üzerinde yer yer sarı renk ve varak altın kalıntıları görülmektedir.

13

KİLERCİBAŞI OSMAN AĞA MEZAR TAŞI

(1586)

~

Mezar, sandukalı mezar tipindedir ve üzerine çiçek motifleri işlenmiştir. Baş ve ayak taşı kitabelerinin üst ve alt taraflarında ise Rumi motifli süslemeler bulunur.

Fatih Hırkaişerif'te, Hoca Üveys Camii bahçesinde bulunan türbesi içinde medfun Osman Ağa'nın mezarı, 16. yüzyıla ait mezarların güzel bir örneğidir. Mezarın baş ve ayak taşı üstüvani, yani silindir şeklinde olup, dönem özelliği olarak oldukça hacimli ve büyüktür. Bu tip taşların benzerleri Eyüp'teki hazirelerde görülebilir.

Mezar, sandukalı mezar tipindedir ve üzerine çiçek motifleri işlenmiştir. Baş ve ayak taşı kitabelerinin üst ve alt taraflarında ise Rumi motifli süslemeler bulunur. Mezarın baş taşı kitabesinin okunuşu şöyledir:

"İntakale'l-merhûm min dârü'l-fenâ ilâ dârü'l-bekâ
Osmân Ağa ibn Abdullah min zevvâkîn
Es-sultân fî yevmi'l-Cum'a min şehr-i evâyili
Zilhicce fi'l-harâm sene erba'a ve tis'în ve tis'a mie
Rûhiçün Fâtiha okuyanların âkıbeti hayr ola
994 (m. 1586)"

▲ Kilercibaşı Osman Ağa'nın türbesi

Ayak taşı üzerinde ise şu ayetler okunmaktadır:

"Kâlallahu Tebâreke ve Te'âlâ şânehu
Kul yâ ibâdiyellezîne esrafû
Alâ enfüsihüm lâ taknatû
Min rahmetillah innallâhe yağfiruz-zünûbe
Cemî'an innehu hüve'l-Gafûru'r-Rahîm"

Yavuz Sultan Selim Han'ın kilercibaşı, Kanunî Sultan Süleyman'ın çeşnigirbaşı olan Osman Ağa'nın mezarı Fatih'te Hoca Üveys Camii bahçesindeki türbesi içindedir.

HATTAT ABDULLAH KIRIMİ MEZAR TAŞI

(1591)

~

Kaynaklarda Tatar olduğu yazılan ve Kırımlı olan Abdullah Kırımi aklam-ı sitte adı verilen altı çeşit yazıda büyük bir ustadır. Mezar taşı, Türk ve İslam Eserleri Müzesi deposundadır.

Kaynaklarda aslı Tatar olarak yazılan ve Kırımlı olan Abdullah Kırımi aklam-ı sitte adı verilen altı çeşit yazıda büyük bir uﬆadır. Kırımi, Derviş Mehmed'den ders almış ve Şeyh Hamdullah yolunda ilerleyerek bir müddet sonra "şeyh-i sani" olarak anılmaya başlamıştır.

Ancak daha sonra yazıda yeni bir tarz icat etmeye kalkışmış, sonunda başarılı olamadığı gibi eski üslubunu da bozmuştur. Bu konuda Suyolcuzade Mehmed Necib Efendi şöyle yazar: "Abdullah Kırımi şeyh vadisinde yazıyordu. Eğer o halde kalsaydı şeyh vadisinde bir tane olacaktı. Fakat ona gelip gidenlerden müfsit kimseler, iyi niyetinden faydalanarak cedlerimiz yeni şeyler icat ederek isimlerini yaşatmışlar. Sizin de yazıda yeni bir vadi icadına kabiliyetiniz var. Yazıda yeni bir üslüp ortaya çıkaracak olursanız adınız sonsuza kadar yaşar diyerek aklını çeldiler."

Müzik meraklısı olan ve tanbur çalan hattat bir gece rüyasında ömrünün sonuna yaklaştığını görür. Bunun üzerine İﬆanbul surları dışında Emir Buhari Camii civarında Eyüb'e giden yol üzerinde kendisine bir mezar yeri kazar. Daha sonra mezar taşını hazırlayarak kitabesini Arapça olarak yazan hattat tarih kısmına 99 rakamını koyar. Bu olaya şahit talebelerinden birinin "Hocam sonraki rakam ne olacak?" sorusuna Abdullah Kırımi, "Benim bu kadar talebem var, içlerinde bir 9 daha yazacak bulunur" der. Gerçekten Hicri 999 tarihinde dünyaya gözlerini kapar. Ecelînin yaklaştığını hissettiğinde çaldığı tanburunu da kırdığı kaynaklarda yazılıdır.

Hattat Abdullah Kırımi'nin Türk ve İslam Eserleri Müzesi deposunda bulunan mezar taşı ▼

Celî sülüs yazıyla yazılan kitabenin okunuşu şöyledir:

"Kadd neseha esâtîrü'l-âmâl ve tavâ tavâm (îrü'l-a'mâl)
El-üﬆadü'l ecell ve'l-hattatü'l- mükerremü'l-mübeccel
El-muhakkıku husüne tahrîruhû fî kârii'l-ukûli'l-mahallî menşûr(un)
Amelehu bi-tevkî'i'l-kabûl el-muhtâc ile'l-fazli'l-kerîmî el-kâtib
Abdullahü'l-Kırımî afallahu anhu bi-keremihi'l-vefî ve lutfihi'l-celî ve'l-hafî
Sene 999 (m. 1591)"

Mezar taşı kitabesinin günümüz Türkçesine çevirisi, Şinasi Acar'ın *Ünlü Hattatların Mezarları-Gelimli Gidimli Dünya* adlı eserinde şu şekildedir:

"Muhakkak ki (alna) yazılanlar (bir gün) biter ve (kişinin) amel defteri kapanır. Allah'ın izniyle yayılmış (bulunan)çalışmaları zihinlerin derinliklerinde (düşüncelerde) yer etmiş olan, güzel yazılarını (araştırıp inceleyerek titizlikle ve) hakkıyla yazan, büyük usta, saygın ve yüceltilmiş hattat ki, ulu Allah'ın inayetine (yardım ve iyiliğine) muhtaçtır; Kâtip Kırımlı Abdullah'ı, vaat ettiğini mutlaka yerine getiren (vaadinde emin olan) ulu Allah, açık ve gizli lütüfları ve cömertliğiyle bağışlasın, sene 999 (m. 1591)"

Mezar taşı, bugün Türk ve İslam Eserleri Müzesi deposundadır.

15

DERVİŞ PAŞAZADE MEHMED BEY MEZAR TAŞI

(1592)

~

Eyüp'te, Sokullu Mehmed Paşa Türbesi'nin önünde bulunan sandukalı lahit mezar, mücevveze serpuşuyla döneminin mezar anlayışının güzel bir örneğidir. Üsküdar'da Mihrimah Sultan Camii haziresinde bulunan Kaptanıderya Sinan Paşa'ya ait mezarın benzeri olan mezar, mücevveze serpuşuyla dikkati çeker. Sarığın üzerine işlenen sorguç motifi çok nefis bir işçilikle uygulanmıştır. Döneminin yazı anlayışını gösteren yedi satırlık celî sülüs hatla yazılan mezar taşının kitabesinde şu ifadeler yer almaktadır:

Eyüp'te Sokullu Mehmed Paşa Türbesi'nin önünde bulunan sandukalı lahit mezar, mücevveze serpuşuyla dönemin mezar anlayışının güzel bir örneğidir.

"Hüve'r-Rahman er-Rahîm
Lâ ilahe illâllah Muhammedun resûllulah
Göçdi Dervîş Paşazâde Mehemmed Bey âh!
Şehr-i Zilkâdede ol eyledi azm-i dergâh
Lâle-veş dâğ-ı hâke hal düşürdü teninde (?)
Hüsnile Yûsuf-i sâni iken oldı yeri çâh
Fâtiha elf-i kâmilde dedi Sâi-i dâi târîh / Meşhed-i pâk-i Mehemmed ola pür-nûr-ı ilâh sene elf-i elf 1001 (m. 1592-1593)"

▸ *Sokullu Mehmet Paşa Türbesi önünde bulunan Derviş Paşazade Mehmed Bey'e ait burma sarıklı mezar taşı kitabesi*

Ebced hesabıyla düşürülen tarihiyle birlikte zamanla keskinliğini kaybeden yazı ve süslemeleri mermere hakkedilmiştir. Ayak taşı olmayan mermer lahdin üzerine yarı natüralist üslupta gül motifleri ve büyük bir penç motifi işlenmiştir.

HOCA SADEDDİN EFENDİ MEZAR TAŞI

(1599)

~

Yavuz Sultan Selim Han'ın ünlü nedimi Hasancan'ın oğlu olan Osmanlı şeyhülislamı ve tarihçisi Hoca Mehmed Sadeddin Efendi'nin kabri Eyüp'te, Saçlı Abdülkadir Mescidi haziresinde, mescit girişinde sol taraftadır. Hazirede Sadeddin Efendi'nin dışında beş oğlu ve iki torunu da medfundur.

Mezar taşının dikkati çeken tarafı büyüklüğüdür. Silindir şeklindeki taşın baş taşı celî sülüs hatla ve Arapça yazılmıştır.

Hoca Sadeddin Efendi'nin mezarı

Hoca Sadeddin Efendi iyi bir eğitim görmüş, Şeyhülislam Ebussuud Efendi'ye intisab etmiştir. "Hoca" ve "Hoca Efendi" diye şöhret bulan Sadeddin Efendi, çeyrek yüzyıla yakın ilmiye mesleği yanında idari ve siyasi işlerde de söz sahibi olmuştur. Âlim, fazıl ve şair bir zattır. *Tacü't-tevarih* yani *Tarihlerin Tacı* adlı eseri pek meşhurdur. Ayrıca hat sanatıyla da meşgul olmuştur.

Mezar taşının dikkati çeken tarafı büyüklüğüdür. Silindir şeklindeki taşın baş taşı üzerinde celî sülüs hatla ve Arapça olarak aşağıdaki ifadeler hakkedilmiştir:

"İntekale'l-Mevlâ el-allâme mu'allimü sultânün zamânühü müftîyü'l-enâm
ve fi asrıhi ev innehu şeyhü'l-islâm ve'l-müslimîne el-mücâhid el-gâzi
fi sebîli'l-lah li-i'lâ kelimeti'd-dîn el-Hoca Sa'deddin Mehmed bin el-Hâfız Hasancan ibnü'l-Hâfiz Mehmed ibn
el-Hâfiz Cemâleddîn ilâ rahmeti rabbi'l-âlemîn haşerahumullâhu te'âlâ"

Baş taşının iç tarafında kelime-i şehadet cümlesi yine celî sülüs hattıyladır:

"Eşhedü en lâilâhe illallah
Ve eşhedü enne Muhammed resûlullah"

Ayak taşında da aşağıdaki Arapça metin okunmaktadır:

"Ma'-an nebiyyîne ve's-sıddîkîn ve'ş-şühedâ ve's-sâlihîn fî yevm-
il hamisü'l-âşir min şehri Rebiu'l-evvel ve li-sene semâne min elf
el-hicretü'n- nebeviyyetü ve salli aleyhi akabet salâtü'l-Cum'a fe-vâfiku
irtihâlehu irtihâli seyyidü'l-mürselîn ve hâtemü'n-nebiyyîn Muhammed(in)
sallallahu aleyhi ve aleyhim ve alâ âli'l-ashâbi'l-ecma'în"

Kitabenin tarihi 10 Rebiülevvel 1008 (m. 30 Eylül 1599) perşembe gününü işaret etmektedir.

▲
Hattat Demircikulu Yusuf'un defnedildiği hazire

17

HATTAT DEMİRCİKULU YUSUF MEZAR TAŞI

(1611)

~

Kılıç Ali Paşa Camii'nin bütün yazılarını yazan Demircikulu Yusuf, Karahisari Mektebi'nin son temsilcisidir. Önceleri Abdullah Kırımi'den yazı meşk eden Demircikulu, daha sonra Ahmed Karahisari'nin talebesi Derviş Mehmed'e talebe olmuştur. 93 yaşında vefat eden Demircikulu Yusuf mezar taşını kendi hazırlamış, vefatında tarihini Hasan Üsküdari olarak da bilinen Hasan Çelebi koymuştur.

93 yaşında vefat eden Demircikulu Yusuf mezar taşını kendi hazırlamış, vefatında tarihini Hasan Üsküdari olarak da bilinen Hasan Çelebi koymuştur. Üç satır halinde celî sülüs yazıyla yazılan mezar taşı kitabesi Karahisari hat mektebinin güzel örneklerindendir.

Vefatında Tophane'de Kılıç Ali Paşa Camii karşısında, 1531'de Babüssaade Ağası Karabaş Mustafa Ağa tarafından yaptırılan ve günümüzde cami olarak kullanılan tekkenin bahçesine defnedilmiştir.

Demircikulu Yusuf, Karabaş Mustafa Ağa Camii haziresinde cami mihrabının önünde medfundur. Üstüvani, yani silindir şeklindeki mezar taşı günümüze sağlam bir şekilde gelmiştir. Baş taşında serpuş bulunmayan mezarın ayak taşı yoktur. Yakın tarihte baş taşı üzerine konmuş serpuşun Demircikulu'nun mezarıyla bir alakası yoktur.

▲

Hattat Demircikulu Yusuf'a ait mezar taşı

Mermere hakkedilen yazıların zemini boyasızdır. Üç satır halinde celî sülüs yazıyla yazılan mezar taşı kitabesi Karahisari mektebinin güzel örneklerindendir. Kitabede hareke işaretlerinin yok denecek kadar az olması dikkati çeker.

Mezarın baş taşı kitabesinde aşağıdaki ifadeler okunmaktadır:

"Teveffâ el-merhûm Hattât Yusuf
Eş-şehir bi-Demircikulu tilmîz-i Dervîş
Mehmed min tilâmîz-i Ahmedü'l-Karahisârî Sene
1020 (m.1611/12)"

Demircikulu'nun ölümünden yüzyıl kadar sonra, Karabaş Tekkesi Şeyhi Hüseyin Efendi'nin akrabasından olan ve Demircikulu'nun kabrini temizlerken bir kamış kalem bulan ve bunu hayırlı bir işaret sayarak hat sanatına başlayan Yahya Fahreddin de (ö. 1756) önemli bir hattat olmuştur. Karabaş Tekkesi'nin yakınında bulunan Tophane-i Âmire'nin kitabesi Yahya Fahreddin tarafından yazılmıştır.

18

KÂTİP ÇELEBİ MEZAR TAŞI

(1656)

~

▲

Kâtip Çelebi'nin temsili bir çizimi

Tarih, coğrafya, bibliyografya ve biyografya sahalarında çalışmalar yapmış, devrinin uleması tarafından "Kâtip Çelebi", kalem çalışanlarınca "Hacı Halife" olarak bilinen yazarın asıl adı Muṣtafa'dır. İṣtanbul'da Şubat 1609'da doğan ve Türk kültür tarihinde önemli bir yere sahip olan Kâtip Çelebi'nin eserleri arasında *Tuhfetü'l-Kibar fi Esfari'l-Bihar*, *Cihannüma*, *Keşfü'z-Zünun an Esamü'l-Kütübi ve'l-Fünun* ve *Mizanü'l-Hakk fi İhtiyari'l-Ahakk* sayılabilir.

27 Zilhicce 1067 (6 Ekim 1657)'de 48 yaşında vefat ettiği zaman, Unkapanı Zeyrek Şebsefa Hatun Camii yakınında, günümüzde yanmış olan ve kendi adıyla anılan mektebin bahçesine defnedilmiştir.

Kâtip Çelebi'nin mezarı

Mezarı 1952'de yeniden yapılmıştır. Mermerden bir sanduka önünde ve sandukadan bağımsız oldukça kalın baş taşı kitabesi üzerinde üstte iki satır halinde celî ta'lik hatla "Lâ ilâhe illa hû külli şey'in hâliku illâ veche" ibaresi ve bunun altında "majiskül" yani tamamı büyük harflerle şu ifadeler yazılıdır:

Allah'dan başka
mabut yok
ancak o, var ve birdir
her şey helâk olur
illa zâtı ulûhiyyet
bâkidir.
Kâtip Çelebi
Hacı Halife Mustafa
bin Abdullahın
ruhu için fatiha
d. 1017 (m. 1608) hicri ö. 1067 (m. 1656)
kabrin yeniden tanzim
ve ihya tarihi
"1952 efrenci"

Kâtip Çelebi 6 Ekim 1657'de kırk sekiz yaşında vefat ettiği zaman, Unkapanı'nda Zeyrek Şebsefa Hatun Camii yakınında, günümüzde yanmış olan ve kendi adıyla anılan mektebin bahçesine defnedilmiştir.

▲

Kâtip Çelebi'nin mezar taşı

Mermere hakkedilen yazılar ve yazı zeminleri mermer rengindedir ve günümüzde iyi durumdadır. Sandukanın üzerinde ise herhangi bir yazı ve süsleme yoktur.

19

HÜSEYİN AĞA MEZAR TAŞI

(1661)

~

Okçular Tekkesi'nde bulunan dört mezardan biri olan mezarın baş taşı kitabesi yedi satır halinde celî sülüs hatla yazılmıştır. Yazılarda dönemin yazı anlayışını görmek mümkündür.

Okmeydanı'nda Okçular Tekkesi'nde bulunan dört mezardan biri olan mezar, mermerden baş ve ayak taşına sahiptir. Baş taşı kitabesi yedi satır halinde celî sülüs hatla yazılmıştır. Yazılarda dönemin yazı anlayışını görmek mümkündür. Kitabe, taşın üzerine üç yüzlü şekilde yazılmıştır. Satırlar arasında, satırları birbirinden ayıran genişçe çizgi dilimleri mevcuttur. Kitabenin üst tarafında her üç yüzeye dendanlanmış bölümler içine penç motifleri kabartma olarak işlenmiştir.

▸ *Hüseyin Ağa'nın Okçular Tekkesi'ndeki mezarı*

Baş taşı kitabesinin okunuşu şöyledir:

"Lâ ilâhe illallah Muhammedün resûlullah
Dâr-ı dünyâ bir misâfirhânedir
Göç .... görmeyen dîvânedir
Her ki dünyâya gelür âhir ecel câmın içer
N'aceb menzil olur kimi konar kimi göçer
Hüseyin Ağa rûhiçün Fâtiha
Sene 1072 (m.1661-62)"

▲
Hüseyin Ağa'nın mezarına ait baş taşı kitabesi

Ayak taşı kırılmış olup, taşın küçük bir kısmı kalmıştır. Kalan kısım üzerinde bulunan bölüme "sene" yazılmış ancak tarih ibaresi yazılmamıştır. İki taşın da süsleme örneklerinden ve kitabedeki harflerden hareketle aynı mezarın parçaları olmaları kuvvetle muhtemeldir. Ayak taşı da üç yüzlüdür ve her yüzde bir "penç" motifi bulunur. Kaideye yakın kısmına baş taşında olduğu gibi küçük mukarnaslar işlenmiştir.

Yakın tarihlerde restore edilen Okçular Tekkesi içinde bulunan mezarların üzeri bir çatıyla kapalı olup, mezarlar koruma altındadır.

20

ŞAİR NEDİM MEZAR TAŞI

(1730)

~

Lale Devri'nin önemli şairi Nedim'in asıl adı Ahmed'dir. Divan edebiyatında çığır açmış olan ve Mülakkabzade unvanıyla da anılan Nedim'in kesin olmamakla birlikte 1681'de doğduğu kabul edilir. Nedim'in eser verdiği dönemde Nefi'nin gür kasideleri çağdaşı ve sonraki şairleri büyülemeye devam etmektedir. Diğer taraftan Baki'nin rindane gazelleri Şeyhülislam Yahya ve Neşati gibi kalemlerle 18. yüzyıla kadar akışını sürdürmektedir. Nedim bu iki büyük damardan beslenmeyi iyi bilmiş, fakat hiç taklide düşmeden kısa sürede kendi şiir kudretini ortaya koymuştur. Yazdığı kasidelerin önemli bir kısmı

Şair Nedim'in mezarı
▼

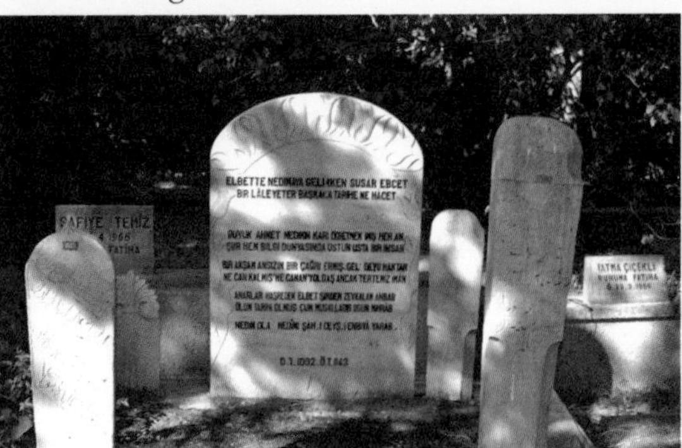

Divan edebiyatında çığır açmış olan ve Mülakkabzade unvanıyla da anılan Nedim'in Karacaahmet Mezarlığı 8. adada bulunan mezarı, Melami başlıklı bir mezardır. Annesi Saliha Hatun'la yan yana olan mezarının taşı, "bî-ser ü bî-pâ" yani "başsız-ayaksız" denilen ve Melami meşrep olanlar için dikilen taşlara örnektir.

Şair Nedim'e ait mezar taşı

Nefi'nin kasidelerine naziredir. Döneminin bütün eğlence hayatının mimarisini, hayat tarzını kasidelerinde işlemekle beraber asıl şiir kudretini gazel ve şarkılarında göstermiştir.

Müstakimzade, 15 Rebiülevvel 1143'te (m. 28 Ekim 1730) vefat eden Nedim'in vefatı için Patrona Halil Ayaklanması esnasında Beşiktaş'taki evinin damından düşerek öldüğünü yazar.

Karacaahmet Mezarlığı 8. adada bulunan mezarı, Melami başlıklı bir mezardır. Annesi Saliha Hatun'la yan yana bulunan mezarının taşı, "bî-ser ü bî-pâ" yani "başsız-ayaksız" denilen ve Melami meşreb olanlar için dikilen taşlara örnektir. Abdülbaki Gölpınarlı şairin Hamzavi tarikatına mensup olduğunu söyler.

Mezar taşı kitabesi sekiz satır halinde celî sülüs hatla yazılmıştır. Melami taşı özelliği olarak taşın alt ve üst tarafındaki köşeler pahlıdır.

Mezar taşı kitabesi şu şekildedir:

"El-Fâtiha
Nedîm Ahmed Efendi kârı tedrîs idi rûz u şeb
Ulûm içre kemâle ermiş idi safî meşreb
Hitâb-ı irci'i erdikde sem'ine deyüb lebbeyk
Koyub cân-ı cihânı kıldı kurb-ı Bârî'yi matlab
Revâ ola düşerse fevtine işbu duâ târîh
Nedîm ola nedîm-i şâh-ı ceyş-i enbiyâ Yâ Rab
Sene 1143 (m. 1730)"

Ayak taşı kısmına Latin harfleriyle yazılan kitabede ise şu ifadeler okunmaktadır:

"Elbette Nedima'ya gelirken susar ebcet
Bir lâle yeter başkaca tarihe ne hacet
Büyük Ahmet Nedim'in kârı öğretmek imiş her an
Şiir hem bilgi dünyasında üstün usta bir insan
Bir akşam ansızın bir çağrı ermiş "gel" deyu Haktan
Ne can kalmış ne canan yoldaş ancak tertemiz iman
Anarlar haşredek elbet şiirden zevk alan ahbab
Ölüm tarihi olmuş çün musalladır o gün mihrab
Nedim ola Nedimi şah-ı ceyş-i enbiya Ya Rab
D.T. *1092* Ö.T. *1143"*

21

MOLLACIKZADE AİLESİ MEZAR TAŞI

(1731)

~

Fatih Hüsambey Mahallesi'nde, İmam Niyazi Sokak üzerinde bulunan, tarihi 15. yüzyıla kadar uzanan Manisalı Mehmed Paşa Camii yanındaki hazirede bulunan mezar taşı, İstanbul'daki mezar taşları arasındaki ilginç taşlardan biridir. Yekpare mermer üzerinde, aynı aileden üç kişinin mezar kitabesi mevcuttur. Kitabelerden biri erkek, diğer ikisi kadınlara ait mezar taşıdır. Birbirine bitişik tasarlanmış mezar taşlarının üzerindeki başlıklardan da bu durumu anlamak mümkündür.

▲ *Mollacıkzade ailesinin mezarı*

Mezarda; Anadolu kadıaskerlerinden Mollacıkzade İshak Efendi'nin dayısı, annesi ve kız kardeşi yatmaktadır. Taşların üzerindeki tarihler zamanla harap olduğu için ancak biri okunabilir durumdadır. Kaynaklardan ve eski fotoğraflardan hareketle üç mezarın tarihi okunmuştur. 1701 tarihi okunan ve Mollacıkzade İshak Efendi'nin dayısına ait kitabe, tarih olarak en eski kitabedir. Taşlardaki kitabelerde ilk vefat ile son vefat arasında 51 yıllık bir zaman dilimi vardır.

Mollacıkzade ailesine ait mezar taşı

Her üçü de celî sülüs yazı çeşidiyle yazılan kitabelerin soldan sağa okunuşu şöyledir:

Taşın sol bölümündeki kitabe:

"Hüve'l-Bâkî
Sâbıkan Anadolu
Kadıaskeri Mollacıkzâde İshak
Efendi'nin dayısı
Merhûm ve mağfûrün leh
Ahmed Efendi rûhuna
Rızâen lillah el-Fâtiha
Sene 1113 (m.1701)"

Taşın orta bölümündeki kitabe:

"Hüve'l-Bâkî
Sâbıkan Anadolu
Kadıaskeri Mollacık
Zâde İshak Efendi'nin
Büyük vâlidesi
Merhûme ve mağfûrün lehâ
Rukiyye Hâtun rûhuna
Rızâen lillah el-Fâtiha
Sene 1166 (m.1752-1753)"

Fatih'te tarihi 15. yüzyıla kadar uzanan Manisalı Mehmed Paşa Camii haziresinde birbirine bitişik tasarlanmış mezar taşlarının üzerinde, aynı aileden üç kişinin mezar kitabesi mevcuttur. Kitabelerden biri erkek, diğer ikisi kadınlara aittir.

Taşın sağında bulunan kitabenin okunuşu ise şu şekildedir:

"Hüve'l-Bâkî
Sâbıkan Anadolu
Kadıaskeri Mollacık
Zâde İshak Efendi'nin
Hemşîresi merhûme
Ve mağfûrün lehâ Hadîce
Hâtun rûhuna
Rızâen lillah el-Fâtiha
Sene 1144 (m.1731)"

Üç kitabeli mezarın ayak taşı ise bir tanedir. Rumeli kadıaskeri Molacıkzade İshak Efendi ise Kaptan İbrahim Paşa haziresinde medfundur.

22

KAPICIBAŞI AHMED BEY MEZAR TAŞI

(1739)

~

Kocamuştafapaşa semtindeki Hekimoğlu Ali Paşa Camii haziresinde bulunan mezar özellikle serpuşuyla dikkati çekmektedir. "Paşalı" adı verilen serpuşun üzerine "lale" ve "gül" motifleri uştaca işlenmiştir. Gül motifinin Hz. Muhammed'in remzi, lale motifinin de Allah'ı sembolize ettiği düşünülürse, merhumun yaşarken başının üzerinde gezdirdiği ve vefatıyla serpuşa işlenen bu motiflerin simgelediği değerlerin kıyamete kadar başının tacı olduğuna bir göndermedir.

Hekimoğlu Ali Paşa Camii Haziresi'nde bulunan mezar özellikle serpuşuyla dikkati çeker. "Paşalı" adı verilen serpuşun üzerine "lale" ve "gül" motifleri işlenmiştir. Döneminin süsleme anlayışını yansıtan stilize gül motifinin alt tarafında, sekiz satır halinde celî sülüs hatla yazılan baş taşı kitabesi yer alır.

◂

"Paşalı" adı verilen serpuşuyla Kapıcıbaşı Ahmed Bey'e ait mezar taşı

Boyun kısmının alt tarafında mezar taşı kitabesi bulunmaktadır. Döneminin süsleme anlayışını yansıtan stilize gül motifinin alt tarafında, sekiz satır halinde celî sülüs hatla yazılan baş taşı kitabesinin okunuşu şöyledir:

"Nûh Efendizâde sadr-ı sâbıkü'l-ahd-i kerîm
Kim Ali Paşa gibi âdil vezîrin hâliyâ
Nuhbe-i evlâdı Ahmed Bey o zât-ı muhterem
Kapucubaşıların memdûhu iken mutlakâ
Doymadan lezzât-ı ömr-i nâzenîne eyledi
Nimet-i elvân-ı Rıdvân ile def'-i iştihâ
Gûş eden rûhu duâ birle dedi târîhini
Gülistân-ı Adn ola Ahmed Bey'e dâr-ı bekâ
Sene 1152 (m. 1739)"

Mezarın sanduka kısmının üzerinde yine döneminin süsleme anlayışıyla işlenmiş Rumi motifleriyle oluşturulmuş kompozisyonlar yer almaktadır. Mezarın baş taşı, serpuşun alt kısmından ve sanduka kısmına yakın yerden kırıldığı ve daha sonra yapıştırıldığı anlaşılmaktadır.

23

SALİHA HATUN MEZAR TAŞI

(1739)

~

Silivrikapı Hadım İbrahim Paşa Camii Haziresi'nde bulunan, Gülşeni Ağa'nın kızı Saliha Hatun için yapılmış mezar, tasarımı ve mermer işçiliği ile 18. yüzyılın en güzel mezar taşı örneklerinden biri olarak dikkati çeker. Mezarın baş ve ayak taşının her iki yüzü yazı ve motiflerle süslüdür.

Lale Devri'nin sona ermesine sebep gösterilen ve 28 Eylül 1730'da başlayan Patrona Halil Ayaklanması, Osmanlı tarihinin önemli olaylarından biridir. Ayaklanma günlerce sürmüş ve Patrona Halil'in öldürülmesiyle son bulmuştur.

Topkapı Sarayı Müzesi Müdürlüğü de yapmış olan sanat tarihçisi Tahsin Öz, Gülşeni Ağa'nın kızı Saliha Hatun'un Patrona Halil'in zorbalıkla aldığı zevcesi olduğunu yazar. Patrona'nın zindan arkadaşı Zennane Yusuf tarafından Kumrulu Mescit'te basılan evden kaçırılmıştır. Kadın mezar taşlarında mevtanın ismi ile birlikte ayrıca baba yahut koca tarafına aidiyeti de yazılır; kadının ismi tek olarak yazılmazdı. Mezar taşı kitabesinde Patrona Halil'den herhangi bir şekilde bahsedilmemektedir.

Saliha Hatun'un Hadım İbrahim Paşa Camii haziresinde bulunan mezarı

▲

Mezarın baş taşının arka yüzü

Silivrikapı Hadım İbrahim Paşa Camii haziresinde bulunan mezar, tasarımı ve mermer işçiliğiyle göz alıcıdır. Gülşeni Ağa'nın kızı Saliha Hatun için yapılmış mezar, 18. asrın en güzel mezar taşı örneklerinden biri olarak dikkati çeker. Mezarın baş ve ayak taşının her iki yüzü yazı ve motiflerle süslüdür.

Baş taşı kitabesinin okunuşu şöyledir:

"Hüve'l-Bâki
Gülşenî Ağa'nın ehli kim o fahrü's-sâlihât
Sâliha Hâtûn bî-misl eyledi hûy-i nîkde
İmtisâl-i ırcii kıldı edüb azm-i behişt
Kaldı cism-i zevrakı bu kulzüm-i tarîkde
Kasr-ı bağ-ı Adn içinde rûhi pervâz eyleyüb
Bula ziynet zât-ı pâki hille-i bârikde
Yana diller lafz u ma'nâ ile târîhin görüb
Rûhu mev'â kıldı gurbeti bin yüz elli ikide
Fî sene 1152 (m. 1739-40)"

Kitabe, celî ta'lik hatla on satır halinde yazılmıştır. Kitabenin üstünde rokoko tarzında motif, onun üstünde ise vazo içinde hokka gül kabartmaları yer alır. Bu motiflerle üstte sıralanmış içinde meyvelerin yer aldığı beş adet kâse işlenmiştir. Mezar taşının taç kısmı yine gül kabartmalarıyla son bulur.

Mezarın ayak taşında ise nefis bir işçilikle uygulanmış iki sütunun sınırladığı alanda vazo içinde güller, laleler ve zerrin çiçeklerinin yer aldığı bir kompozisyon bulunur. Ayak taşının üst kısmına simetrik olarak uygulanmış gül demetleri ve Avrupai tarzda motifler işlenmiştir.

KAZANCI MEHMED MEZAR TAŞI

(1755)

~

Eyüp Otakçılar Mezarlığı'nda bulunan mezar taşı, hanımından şikâyetçi olan birine aittir.

Mezarın sınırları günümüzde kaybolmuş, mezardan geriye sadece baş taşı kalmıştır. Mezar taşı kitabesi üzerindeki yazılar da zamanın tahribatı sonucu her geçen gün biraz daha silinmektedir.

Sarık serpuşlu mezar taşının boyun kısmına yakın olarak yazılan "Hüve'l-Hayyu'l-Bâkî" ibaresinin alt tarafında beş satır halinde celî sülüs yazıyla mezar taşı kitabesi yazılıdır. Yazı zemini ve kabartma harfler mermer rengindedir.

Karısının yüzünden öldüğünün mezar taşına yazılmasını kendi mi vasiyet etmiştir, yoksa ailesi mi yazdırmıştır bilinmez ama, Kazancı Mehmed Ağa'nın bu dünyada sıkıntılı zamanlar geçirdiği anlaşılmaktadır.

Mezar taşının okunuşu şöyledir:

"Hüve'l-Hayyu'l-Bâkî
Zâlim avrat elinden
Mevtine sebeb olan merhûm
Ve mağfûr Kazancı el-Hâc
Mehmed rûhiçün
El-Fâtiha
Sene 1169 (m. 1755)"

Karısının yüzünden öldüğünün mezar taşına yazılmasını kendi mi vasiyet etmiştir, yoksa ailesi mi yazdırmıştır bilinmez ama, Kazancı Mehmed Ağa'nın bu dünyada sıkıntılı zamanlar geçirdiği açıktır.

Zengin sanat ve kültür tarihimizin ilginç örneklerinden biri olan bu ve benzeri eserlerin koruma altına alınması gerekmektedir.

▲
Kazancı Mehmed'e ait mezar taşı

25

SEYYİD LÜTFULLAH EFENDİ MEZAR TAŞI

(1758)

~

Kâtibî kavuk üzerine işlenmiş olan gül motifinin en yaygın anlamı, "gül"ün Hz. Peygamber'in remzi olmasıdır. Bu sebeple mermer serpuşa işlenen gül, Hz. Muhammed'e gösterilen saygının ve bu saygının her daim baş üstünde tutulduğunun işaretidir.

Fatih Hoca Üveys Camii haziresinde bulunan mezarın baş taşı üzerindeki sarığa işlenmiş gül motifi oldukça dikkat çekicidir. Mezarda yatan zevat hakkında herhangi bir bilgiye sahip olmadığımız mezarın baş taşı kitabesi, altı satır halinde ve celî sülüs hatla yazılmıştır.

Zaman içerisinde ortadan ikiye kırılmış olan taş, daha sonra birleştirilmiştir. Kâtibi kavuk üzerine işlenmiş olan gül motifinin en yaygın anlamı, "gül"ün Hz. Peygamber'in remzi olmasıdır. Bu sebeble mermer serpuşa işlenen gül, Hz. Muhammed'e gösterilen saygının ve bu saygının her daim baş üstünde tutulduğunun işaretidir. Ayrıca hayattayken peygambere duyulan sevgi ve saygının hayatla sınırlanmadığını, her iki cihanda da bu muhabbetin devam ettiğini göstermesi açısından anlamlıdır. Aziz Peygamber'e gösterilen hürmet ve muhabbetin simgesi bu tip taşlara İstanbul mezarlıklarında sıkça rastlanmaktadır.

▲

Seyyid Lütfullah Efendi'ye ait mezar taşı

Mezar taşı kitabesinde şu ifadelere yer verilmiştir:

"Hüve'l-Hayyu'l-Bâki
Merhûm ve mağfûr
Elliikizâde
Es-Seyyid Lütfullah
Efendi rûhiçün
El-Fâtiha
Fî Za (Zilkade) Sene1171 (m. Temmuz-Ağustos 1758)"

Yazılar mermere hakkedilmiş olup, kabartma harflerin üzeri sarı yaldızla boyanmıştır. Oldukça iri işlenmiş gül motifinin yaprakları yeşil renkle, kendisi sarı yaldızla boyanmıştır.

SERVER DEDE MEZAR TAŞI

(1766)

~

Sultanahmet semtinde, günümüzde Tapu-Kadastro Müdürlüğü tarafından kullanılan ve eskiden Defter-i Hakani binası olan yapının içindeki mezar ve mezarda yatan Server Dede'nin hikâyesi oldukça ilginçtir.

Mezar kitabesi dışında mermer üzerine iki satır halinde celî ta'lik yazıyla yazılan ibare mezarı çevreleyen duvarın üzerine asılmıştır. Yeşile boyanmış kitabede, "Ser verüb sır vermeyen Server Dede rûhuna ihlâs ile el-Fâtiha" yazılıdır.

◄ *Server Dede'nin baş taşı kitabesi*

Binanın ikinci katında, koridorun sol tarafında bulunan mezar, bilinen mezarlardan biraz daha uzundur. Baş ve ayak şahideleri de farklı bir görünüm arz eder. Ayak taşı üzerinde kitabe ve süsleme bulunmayan mezarın şahideleri birbirinin aynıdır.

▲ *Defter eminine ait temsili bir çizim*

Server Dede, Sultan I. Mahmud devrinde "Defter-i Hakani" yani "Tapu ve Kadastro Dairesi"nde "defter emini" olarak çalışan bir görevliydi. Görevine o kadar sadıktı ki bir gün arazilerle ilgili bir ihtilaf üzerine dönemin padişahı I. Mahmud tarafından kendisinden istenen kayıt defterlerini vermemiş, gerekçe olarak da Fatih Sultan Mehmed'in kanunnamesine göre Defterhane'den gece vakti defter çıkarılmasının men edildiğini göstermiş ve "Sultanımız af buyursunlar, defterleri çıkartamam" diyerek isteği reddetmiştir. Bu cevapla gazaba gelen sultan, Server Dede'nin idamını ferman buyurmuştur. Sabah olduğunda huzura kabul edilen sadrazam, Server Dede'nin haklılığından bahsedince Sultan I. Mahmud pişman olmuş ve yeni bir fermanla idam kararının uygulanmamasını emretmiştir. Ancak iş işten geçmiş ve Server Dede çoktan idam edilmiştir. Görevi uğruna canını veren bu sadık memura yaptığına çok üzülen I. Mahmud, defter emininin Defterhane'nin bahçesine gömülmesini emretmiştir. Bugün üzerinde metal bir şebeke ve çitlembik ağacı bulunan mezarın hazin hikâyesi bu şekildedir.

Mezar kitabesi dışında mermer üzerine iki satır halinde celî ta'lik yazıyla yazılan ibare mezara ait duvarın ortasına asılmıştır. Yeşil renge boyanmış kitabede, "Ser verüb sır vermeyen Server Dede rûhuna ihlâs ile el-Fâtiha" yazılıdır.

Baş taşı kitabesinin serpuşu sarık şeklindedir. Mezarın baş taşı üzerinde iki bölüm halinde toplam dört satırlık kitabe yer alır. Celî sülüs hatla ve girift şekilde dönemin yazı anlayışıyla yazılan kitabenin tarih kısmı ikinci satırın altında, orta kısımda bulunur. Mezar taşlarının süslemesi daire ve dikdörtgen deliklerden oluşmaktadır. Baş taşının okunuşu şöyledir:

"Dâvâsında yok güzâfi ser verüb sır vermemiş
Kadr-dânân bu ki her dem okur İhlâs Fâtiha
20 Ra (Rebiülevvel) sene 1180 (m. 26 Ağustos 1766)

Sırrı içün serini terk edenin şâhididir
Anın içün menzili Defter-i Hâkânî'dir"

SALİHA SULTAN MEZAR TAŞI

(1778)

~

Sultan III. Ahmed'in 23 kızından biri olan Saliha Sultan 1715'te doğdu. 1728'de Deli Hüseyin Paşa'nın oğlu Sarı Mustafa Paşa'yla evlendi. Üç yıl sonra kocası ölünce Abdi Paşazade Ali Paşa ile evlendirildi. Ali Paşa da vefat edince, Saliha Sultan'ın üçüncü evliliği Sadrazam Mehmed Ragıb Paşa ile oldu. 1763 yılında Ragıb Paşa'nın vefatı Saliha Sultan'ın üçüncü defa dul kalmasına sebep oldu. Padişah emriyle, dördüncü evliliğini vezirlerin içinde kaptanıderyalık da yapmış bulunan Mehmed Paşa ile yaptı. Altı yıl sonra Mehmed Paşa da vefat etti. Saliha Sultan bir daha evlenmedi. 1192/1778'de bu dünyadan ayrılan Saliha Sultan, Eyüb Sultan Türbesi çıkış kapısının ön tarafına gömülmüştür.

Kitabe, Arif adlı şair tarafından kaleme alınmış olup ebcedle düşürülen vefat tarihi "Sâliha Sultân'ın Allah kabrini pür nûr ede" cümlesiyle ifade edilmiştir. Mermer işçiliği yüksek kalitedeki mezarın baş taşı üzerinde bulunan on bir satır halindeki mezar taşı kitabesi celî sülüs yazıyla yazılmıştır.

◂ *Saliha Sultan'ın mezarı*

Saliha Sultan'ın mezar taşı kitabesi

Türbe çıkışının sağ tarafında set üstünde bulunan mezar oldukça süslüdür. Mermer lahit şeklindeki mezarın oldukça yüksek kaide kısmı ile mezar gövdesi üzerinde Avrupai tarzda süslemeler mevcuttur. Mezarın gövdesi bölümlere ayrılmış ve bu bölümlere armut, nar gibi çeşitli meyveler kabartma olarak işlenmiştir. Mermer işçiliği yüksek kalitededir. Mezarın baş taşı üzerinde bulunan on bir satırlık mezar taşı kitabesi celî sülüs yazıyla yazılmıştır. Kitabede hattat imzası yoktur.

Mezarın baş taşı kitabesinin okunuşu şu şekildedir:

"Hüve'l-Hallâku'l-Bâkî
Duhter-i Sultân Ahmed hâher-i şâh-ı cihân
Sâliha Sultân ya'ni Hak ânı mağfûr ede
Hastegân-ı hayr idi ol kân-ı iffet dâimâ
Âlem-i uhrâda dahi hayr ile me'cûr ede
Sâlihât-ı ümmet ile haşr olub rûz-i cezâ
Dehşet-i mahşerden anı Hak Te'âlâ dûr ede
Ka'be-i hâcât idi bâb-ı sarây-ı himmeti
Sa'yi ihsân idi çün kim sa'yini meşkûr ede
Hiç olmaz böyle târîh-i duâ-gûn Ârifâ
Sâliha Sultân'ın Allah kabrini pür nûr ede
Sene 1192 (m. 1778)"

Kitabe, Arif adlı şair tarafından kaleme alınmış olup vefat tarihi "Sâliha Sultân'ın Allah kabrini pür nûr ede" cümlesinin ebced karşılığı olan h. 1192 olarak ifade edilmiştir. Baş taşının arkası ile ayak taşının önü ve arkası vazodan çıkan çiçek motifleriyle süslüdür. Mezar oldukça bakımlıdır.

28

KADIASKER İSHAK EFENDİ MEZAR TAŞI

(1781)

~

Hayatı hakkında bilgi sahibi olmadığımız Rumeli Kadıaskeri İshak Efendi'ye ait mezar, Beyazıt semtinde, Kaptan İbrahim Paşa haziresindedir. Mezar, sandukalı lahit şeklinde olup, baş taşı sarık serpuşludur. Mezarın baş taşındaki kitabesi, hattat imzası olmamasına rağmen güzel bir celî ta'lik yazıyla yazılmıştır. 11 satırlık kitabe taşa ustaca işlenmiştir.

Kitabenin üst tarafındaki boşluklara cenneti sembolize eden tabak içinde meyveler ve Avrupai motifler işlenmiştir. Mezar taşı kitabesinin beşinci satırından sonra Mollacıkzade'nin kendi sözleri ve vasiyeti olan dört satırlık bir metin yer almaktadır.

Kitabenin üst tarafındaki boşluklara cenneti sembolize eden tabak içinde meyveler ve Avrupai motifler işlenmiştir. Mezar taşı kitabesinde Mollacıkzade'nin kendi sözleri ve vasiyeti olan dört satırlık bir metin yer almaktadır.

◂ *Kadıasker İshak Efendi'nin mezarı*

Kadıasker İshak Efendi'nin mezarına ait baş başı

Kitabenin okunuşu şu şekildedir:

"Hüve'l-bâkî
Sâbıka Rumeli Kadıaskeri
Merhûm ve mağfûrün leh Mollacıkzâde
El-Hâc İshak Efendi rûhiçün
Rızâen lillahi te'âlâ el-Fâtiha
Merhûmun güftesi ve vasiyetidir:
Encümengâh-ı fenâdan nice oldumsa nihân
Levh-i kabrimde de nâmım olur elbet pinhân
Umarım rahmet Settâr u Kerîm ü Hayy'dan
Cürm ü isyânımı da setr ede keff-i mîzân
Fî 14 Z (Zilhicce) sene 1195 (m. 1 Aralık 1781)"

Ayak taşı üzerinde yer alan vazo içindeki hurma ağacı ve onun düşmekte olan meyveleri ölümü sembolize etmektedir. Sandukanın üzerinde de meyve motifleri yer almaktadır. Mezar taşı kitabesi ve diğer süsleme unsurları mermer rengindedir.

29

ÇUKADAR MUSTAFA AĞA MEZAR TAŞI

(1782)

~

Temsili bir yeniçeri çizimi

Üsküdar Ayazma Camii haziresinde bulunan yeniçeri mezar taşı; İstanbul'daki mezarlıklarda çok az sayıda bulunan, adına börk de denilen yeniçeri başlıklı mezar taşlarından biridir. Yeniçerilerin başlarına giydikleri, keçeden yapılan börk, mezarın baş taşına oldukça gerçekçi, adeta bir heykel gibi işlenmiştir.

Mezar, çukadar/çuhadar adı verilen ve padişahın kıyafetlerini muhafaza edip taşıyan yeniçeri askerlerinden birine aittir. Üsküf olarak da bilinen başlığının altında yer alan kitabesinde,

"Hüve'l-Hallâku'l-Bâkî
Merhûm ve mağfûr el-muhtâc
İlâ rahmet-i Rabbihi'l-Gafûr
Çukadâr Ağa-yı
Hazret-i şehriyârî
Mustafa Ağa'nın
Rûhiçün el-Fâtiha
27 Za (Zilkade) sene 1196 (m. 3 Kasım 1782)"

Üsküdar Ayazma Camii haziresinde bulunan Çukadar Mustafa Ağa'nın mezarı

Üsküdar Ayazma Camii haziresinde, mihrabın ön tarafında yer alan mezar taşı, 18. yüzyıl sonlarından günümüze kadar sağlam olarak gelebilen ve yerinde korunan yeniçeri mezar taşları arasında en iyi durumda olanlardır.

ifadeleri okunmaktadır. Yedi satırdan oluşan kitabe metni celî sülüs hatla kaleme alınmıştır. Yazılar mermere hakkedilmiş olup, zemini ve kabartma harfleri mermer rengindedir. Mezarın ayak taşı üzerinde herhangi bir yazı ve süsleme örneği görülmez. Bu mezarın hemen yanında yine üsküf başlıklı "Silahdar Seyyid Mehmed Ağa"ya ait ikinci bir yeniçeri mezarı daha bulunmaktadır.

Ayazma Camii'nin kıble tarafındaki hazirede, mihrabın ön tarafında yer alan mezarlar, 18. yüzyıl sonlarından günümüze kadar sağlam olarak gelebilen ve yerinde korunan yeniçeri mezar taşları arasında en iyi durumda olanlardır.

30

SÜLEYMAN SADEDDİN (MÜSTAKİMZADE) MEZAR TAŞI

(1788)

~

▲ *Müstakimzade'ye ait mezar taşı*

Asıl adı Şeyh Süleyman Sadeddin Efendi ve künyesi Ebü'l-Mevahib olan Müstakimzade, Müderris Hacı Mehmed Emin Efendi'nin oğludur. Babasıyla beraber başladığı ilim tahsilinde Şeyh Abbas Vesim Efendi, Hayatizade Mustafa Efendi, Fındıkzade İbrahim Efendi ile Eğrikapılı Mehmed Rasim Efendi gibi hocalardan edebiyat, hat, musiki, fıkıh, Kur'an ilimleri ve tasavvuf gibi birçok alanda istifade etti.

Eserlerinin büyük kısmı binlerce kişinin adının, künyesinin ve eserlerinin doğru ve tam olarak anlatıldığı biyografik eserlerdir. Hayatının 40 yılını telifle geçiren Müstakimzade'nin kaynaklarda 50 ila 150 arasında eserinin olduğu zikredilir.

Önceleri Halvetiye tarikatına giren Müstakimzade daha sonra Nakşıbendi tarikatına intisab ederek Mehmed Emin Tokadi'den icazet aldı. 1745'te şeyhinin ölümünden sonra onun yerine geçti. Vefatına yakın zamanda ayaklarından rahatsızlanarak kötürüm kaldı. Zeyrek'te Piri Mehmed Paşa Camii haziresinde, şeyhinin kabrinin ayakucuna defnedildi.

Zeyrek'te Mehmet Emin Tokadi hazretlerinin ayak ucunda bulunan Müstakimzade'nin mezarı

Nezkeb üzerine seyit sarığı sarılmış serpuşlu, 11 satır halinde celî sülüs yazıyla yazılan mezar taşı kitabesi mermere kabartma olarak yazılmıştır. Kitabenin harfleri sarı renkle boyanmış, ancak boyalar zamanla silinmeye yüz tutmuştur.

Mezar taşı kitabesinde,

"Âh mine'l-mevt
Allah Sübhânehu ve Te'âlâ Hazretleri
Merhûm ve mağfûrun leh tarîk-i Nakşıbendi
Tokâdî Şeyh Mehmed Emîn Efendi
Hazretleri'nin hulefâsından ulemâ
Ve tarîken ve sinnen Şeyh Müstakîmzâde
Süleyman Sa'deddîn
Efendi'nin rûhu içün
Âminehu cemî'an mü'minîn ve mü'minât
Ervâhı içün el-Fâtiha
Fî 23 L (Şevval) sene 1202 (m. 27 Temmuz 1788)"

ifadeleri okunmaktadır. Nezkeb üzerine seyit sarığı sarılmış serpuşlu, 11 satır halinde celî sülüs yazı çeşidiyle yazılan mezar taşı kitabesi mermere kabartma olarak yazılmıştır. Kitabenin harfleri sarı renkle boyanmış ancak boyalar zamanla silinmeye yüz tutmuştur.

31

CELLAT MEZAR TAŞLARI

~

Günümüzde çok az örneği kalan cellat mezar taşları blok kütleler halinde olup mezar taşlarından farklı olarak dikdörtgen prizma şeklindedir. Mezar taşlarının üzerinde isim yazılmamasına sebep olarak bedduaya uğrama kaygısı gösterilir.

Arapça "kırbaçla vurmak" anlamına gelen "celd" kökünden türetilmiş olan "cellat" kelimesi öldürme işini yerine getiren görevliler için kullanılırdı. Osmanlı İmparatorluğu'nda cellatlar önceleri Hırvatlardan, daha sonra da Çingenelerden seçilmiştir. İnfaz edilecek kişinin yüzlerini görmemesi için göz yuvaları oyulmuş maskeler taktıkları kaynaklarda mevcuttur.

Eyüp'te Piyerloti'ye çıkan yokuşun sonlarına doğru yola yakın bulunan cellat mezar taşları, mezar kültürümüzde farklı ve ilginç bir yere sahiptir. Günümüzde çok az örneği kalan bu taşlar üzerinde herhangi bir isim, tarih ve bilgiye rastlanmaz. Taşlar blok kütleler halinde olup mezar taşlarından farklı olarak dikdörtgen prizma şeklindedir. Mezar taşlarının üzerinde isim yazılmamasına sebep olarak bedduaya uğrama kaygısı gösterilir. Cellat mezar taşlarının halkın defnedildiği mezarlıklarda bulunmadığı, definlerinin ayrı yerlere yapıldığı bilgisi de kaynaklarda yazılıdır.

◂ *Eyüp Karyağdı Tepesi'ndeki cellat mezar taşlarından biri*

Yine kaynaklara göre İstanbul'da iki yerde cellat mezarlığı bulunduğu bilinir. Bunlardan biri Edirnekapı'dan Ayvansaray'a inen yol üzerinde, diğeri ise Eyüp'te Piyerloti yakınındaki Karyağdı Tepesi'ndedir.

TERS LALE MOTİFLİ MEZAR TAŞI

~

Hatice Turhan Valide Sultan Türbesi haziresinde bulunan mezar, kitabesinden daha çok üzerine işlenmiş süslemeleriyle dikkat çeker. "Ağlayan gelin" de denilen ve gelinlik çağında ölen genç kızların mezar taşlarına işlenen ters lale çiçeği, Doğu ve Güneydoğu Anadolu'da baharda açan, çiçekleri aşağıya bakan bir bitkidir.

Yeni Camii arkasındaki Hatice Turhan Valide Sultan Türbesi haziresinde bulunan mezar, kitabesinden daha çok üzerine işlenmiş süslemeleriyle dikkat çeker. Mezarın kitabesi oldukça yıpranmış vaziyettedir. Yer yer tahrip olmuş kitabeyi okumak neredeyse imkânsızdır.

Mezar taşının süslemesini meydana getiren lale ve gül motiflerinden oluşan kompozisyon ise tasarımı açısından fevkalade güzeldir. Bu kompozisyonda en çok dikkati çeken motif ise ters lale motifidir. "Ağlayan gelin" de denilen ve gelinlik çağında ölen genç kızların mezar taşlarına işlenen ters lale çiçeği, Doğu ve Güneydoğu Anadolu'da baharda açan, çiçekleri aşağıya bakan bir bitkidir. Ters lale Hıristiyanlarca da kutsal bir çiçektir. Hz. İsa çarmıha gerildiğinde Hz. Meryem'in döktüğü gözyaşlarıyla yetiştiğine inanılan bu çiçek, Asurlularda her sabah göbeğinden su aktığı için "ağlayan lale" adıyla anılmaktaydı.

▲ *Ters Lale Motifli mezar taşı*

Mezarın ayak taşı üzerinde bulunan vazodan çıkan motifler mermere kabartma olarak işlenmiştir. Sandukalı lahit mezarın kitabesi okunamadığı için tarihi hakkında kesin bir şey söylemek mümkün değildir. Ancak süsleme özelliklerinden hareketle mezarın 18. yüzyıldan sonrasına ait olduğu söylenebilir.

Mezar kitabesi üzerinde okunabilen kısımlar şöyledir:

"Gevher-i pâk-i
Duhter-i Hazret-i Sultân
.....kim ....o gül
.... merg etdi ....
.... Hazret-i Hak .....

Sekiz satır halinde celî ta'lik hatla yazılan kitabe üzerindeki harflerin bir kısmı tahrip olmuş, bir kısmının da keskinliği kaybolmuştur. Başlığından ve üzerine işlenen motiflerden mezarın bir kadına ait olduğu kesindir.

SÜNBÜLİ SEYYİD ABDÜLKADİR EFENDİ

(1802)

~

Tophane'deki Kılıç Ali Paşa Camii karşısında bulunan Karabaş Camii haziresindeki mezar taşı, Sünbüli tarikatı mensuplarından Seyyid Abdülkadir Efendi'ye aittir. Ayak taşı bulunmayan mezarda sadece baş taşı mevcuttur. Baş taşının üst tarafına Sünbüli sarık işlenmiştir.

Kılıç Ali Paşa Camii karşısında bulunan Karabaş Camii haziresindeki mezar taşı, Sünbüli tarikatı mensuplarından Seyyid Abdülkadir Efendi'ye aittir.

Mezar taşı kitabesinin okunuşu şöyledir:

"Hüve'l-Muîn
Tarîk-i Sünbülî'de tâze bir sünbül iken hayfâ
Hazân-ı merg ile mahv vücûda eyledi îmâ
Amân ol gonca-i bağ-ı derûnun iftirâkından
Pederle mâderinin âh u zârı andelîb-âsâ
Nice zâr-ı figân etmez o zât-ı pâke ahbâbı
Cihâna misli gelmez bir melek yâ nûr idi gûyâ
Oku bir Fâtiha ihlâs ile târih-i fevtinde
Mekânın Seyyid Abdülkâdir'in cennet ede Mevlâ
Fî burc-ı sünbül ve gurre-i Cemaziyelevvel Sene 1217 (m. 30 Ağustos 1802)
Yâ Hû"

Mermer mezar taşı kitabesi on satır halinde celî sülüs yazıyla yazılmıştır. Taş üzerinde hattat imzası yoktur. Mezar taşının en üst satırında yer alan "Hüve'l-Muîn" ibaresinin sağında sümbül, solunda bir gül dalı bulunmaktadır. Çiçek motifleri ve yazılar kabartma şeklinde olup, taşın tamamı yeşil renge boyanmıştır.

▲

Sünbüli Seyyid Abdülkadir Efendi'ye ait mezar taşı

HATİCE HANIM MEZAR TAŞI

(1804)

~

Mezar taşı kitabesi altı satır halinde celî sülüs yazı çeşidiyle yazılan m.1804 tarihli mezarın ayak taşı maalesef kırılmıştır. Kitabenin yazısı hattat İsmail Zühdi Efendi'ye aittir.

Fatih Karagümrük semtinde bulunan Nişancı Mehmed Paşa Camii girişinin sağ tarafında küçük bir hazire yer almaktadır. Hazirede bulunan mezarın baş taşında hattat imzası taşıyan bir kitabe mevcuttur. Günümüze yazıları tahrip olmadan gelen güzel mezar taşlarından biridir. Mezar taşı kitabesi altı satır halinde celî sülüs yazıyla yazılan 1219 / 1804 tarihli mezarın ayak taşı ise maalesef kırılmıştır. Kitabenin yazısı hat sanatımızda mektep sahibi hattatlardan Muſtafa Rakım'ın ağabeyi ve hocası olan İsmail Zühdi'ye aittir. Mezar taşının okunuşu şöyledir:

Hatice Hanım'ın mezarı

"Rahimehallah
Tersâne-i Âmire'de kereſte
Kâtibi Muſtafa Ârif
Efendi'nin kerîmesi
Merhûme ve mağfürün lehâ
Hadîce Hanım rûhiçün
El-Fâtiha
Fî 28 R (Rebiülahir) Sene 1219
(m. 7 Ağuſtos 1804)
Ketebehu İsmâil Zühdî"

Miladi 7 Ağuſtos 1804 tarihini taşıyan mezar, Muſtafa Arif Efendi'nin kızı Hatice Hanım'a aittir.

▲ *Hattat İsmail Zühdi Efendi'nin mezarı*

35

HATTAT İSMAİL ZÜHDİ EFENDİ MEZAR TAŞI

(1806)

~

Türk hat sanatının önemli isimlerinden olan İsmail Zühdi Efendi, Edirnekapı Mezarlığı'nda medfun olup mezar taşı kardeşi Muṣtafa Rakım tarafından yazılmıştır. Baş taşı, altı satır halinde celî sülüs hatla, ayak taşı ise beş satır halinde celî ta'lik hatla yazılmıştır. Mezar metalden bir şebeke içinde ve oldukça bakımlıdır. Baş ve ayak taşlarındaki yazıların zemini nefti yeşil renkle boyanmış olup, kabartma yazılar altın varaklıdır. Baş taşı ulema sarıklıdır. Yine baş ve ayak taşlarına dönemin hâkim süsleme örneklerinden olan Avrupai motifler işlenmiştir.

Türk hat sanatının önemli isimlerinden biri olan İsmail Zühdi Efendi, Edirnekapı Mezarlığı'nda medfun olup mezar taşı kardeşi Mustafa Rakım tarafından yazılmıştır. Baş taşı, altı satır halinde celi sülüs hatla, ayak taşı ise beş satır halinde celi ta'lik hatla yazılmıştır.

▲
Hattat İsmail Zühdi Efendi'nin mezarına ait baş taşı

Baş taşının okunuşu şu şekildedir:

Rahmetullahi te'âlâ
Kâtibü's-sarâyi's-sultânî
Ve hâzinü'l-kelâmi'r-Rabbânî
Reîsü'l-hattâtîn merhûm
İsmâilü'z-Zühdî
Efendi rûhiçün Fâtiha
1221 (m.1806)
Ketebehu Râkım
El-ma'rûf bi-ahîyü'l-merhûm

Baş taşı kitabesinin imza satırında Mustafa Rakım, merhumun erkek kardeşi olduğunu "ahîyü'l-merhum" ifadesiyle belirtmektedir.

Ayak taşının okunuşu ise şöyledir:

Rûhiçün lillahi'l-Fâtiha
Dirîgâ hoşnüvisân-ı zamânın Zühdî-i üstâd
Vefât etdi kim âsârıyla zeyn olmuşdu her mahfil
Kalem dûd-ı dilin kıldı mürekkeb yazdı târîhin
Kubûru eyledi Hattât Zühdî âh kim menzil
Fî 1221 L (Şevval)
Yevmi'l-iyd (m. 12.12.1806)
Ketebehu Râkım el-müderris
Gufira lehu ve li-ahîhi'l-merhûm

İsmail Zühdi Efendi, Ünyeli (Ordu) olup, gençliğinde İstanbul'a gelmiş, sülüs ve nesih yazıda icazetini Ahmed Hıfzi Efendi'den almıştır. Sultan III. Mustafa devrinde saray hattatı olmuş, başta kardeşi Mustafa Rakım olmak üzere birçok öğrenci yetiştirmiştir. 40 Kur'an-ı Kerim, birçok hilye-i saadet, murakka, kıt'a ve levha yazmıştır.

ÇUKADAR AHMED AĞA MEZAR TAŞI

(1810)

~

Aksaray Murad Paşa Camii haziresinde bulunan mezar, zerrin külah serpuşuyla dikkat çeker. Zerrin külahlar, sarayda Hasoda hizmetlilerinin ve Enderun mensuplarının başlarına taktıkları serpuş olup, üzeri tamamen ince altın sırma işlemeli ve silindir şeklindeydi. Nadiren başa giren kısmı yukarısına nisbeten dar olanları da vardı. Adeta Enderunluların alameti farikası idi.

Zerrin külahlar, sarayda Hasoda hizmetlilerinin ve Enderun mensuplarının başlarına taktıkları serpuş olup, üzeri tamamen ince altın sırma işlemeli ve silindir şeklindeydi. Nadiren başa giren kısmı yukarısına nisbeten dar olanları da vardı.

◂ *Çukadar Ahmed Ağa'nın mezarı*

Genç yaşında vefat eden Enderun görevlilerinden Ahmed Ağa'ya ait mezarın baş taşı üzerinde bulunan ve oldukça girift yazılmış kitabesinin okunuşu şöyledir:

▲
Zerrin külahlı serpuş

"Hüve'l-Bâki
Hey meded bulunmadı emrâzının bir çâresi
Yirmi yedi yaşında tekmîl imiş meger kim va'desi
Nice rûhânî ve cismânî ile tedbîr etdiler
Gelse Lokman neylesün dolmuş ecel peymânesi
Dehr-i dûnun kimseye yokdur vefâsı bir nefes
İster olsun mülk-i iklîm-i şâhın bir dânesi
Bir melek haslet civân idi kanmadı gençliğine
Ey felek lâyık mı böyle taşdan olsun lânesi
Gel şu mevtânın rûhuna yâhû oku bir Fâtiha
Kârbâ-növbet değil midir bu fenâ vîrânesi
Çünkü yâ Rab doymadı kasr-ı cihânın zevkine
Merkad-ı pâki ola bâğ-ı cinân kâşânesi
Enderûn-ı Hümâyûn Kilâr-ı Hâssa-i hazret-i şehriyârî
Çukadârlarından merhûm Ahmed Ağa'nın
Rûhiçün Fâtiha
Sene 1225 (m. 1810)"

Üzeri tamamıyla işlemeli olan serpuşun iki yandan aşağıya doğru sarkan zülfe şeklindeki uzantılar da taşa işlenmiştir. Mezar taşı kitabesi on yedi satır halinde celî sülüs hatla yazılmıştır. Oldukça girift bir kitabeye sahip olan baş taşı, yukarıdan aşağıya doğru daralmaktadır. "Hüve'l-Bâki" ibaresinin yanındaki boşluklara gül motifleri simetrik olarak işlenmiştir.

Ayak taşına ise vazodan çıkan ve yine gül motifleriyle oluşturulmuş bir kompozisyon nakşedilmiştir. Mezar taşları üzerine kabartma olarak işlenen süsleme ve yazılar mermer rengindedir.

37

SERDENGEÇTİ HÜSEYİN AĞA MEZAR TAŞI

(1812)

~

Fatih Draman Camii haziresinde bulunan mezar, Yeniçeri teşkilatı içinde "serdengeçti" olarak bilinen gruptan birine aittir. Vatan ve millete hizmet için canından bile vazgeçmeyi göze almış anlamına gelen "serdengeçti" tabiri bir imtiyazı işaret ederdi. Bu teşkilatın kendine mahsus farklı bir serpuşu vardı. Serdengeçti mezar taşları oldukça azdır. Mezarın baş taşı kitabesi dokuz satır halinde ve celî sülüs hatla yazılmıştır.

Baş taşı kitabesinin okunuşu şöyledir:

"Hüve'l-Hallâku'l-Bâki
Hasretâ kim rûz şeb etmekde heb âh zâr
Cümle cürmün afv ede ol Ganî-i Perverdigâr
Felekden almadan kâmın dünyâdan uhrâya
Vefâdâr olmayub ömrü yetişdi dâr-ı ukbâya
Diyâr-ı gurbetde vefât eden merhûm
Ve mağfûr İbrâilli Serdengeçdi
Ağası Hüseyin Ağa'nın
Rûhuna el-Fâtiha
Fî 13 L (Şevval) 1227 (m. 20 Ekim 1812)"

Yeniçeri teşkilatı içinde "serdengeçti" olarak bilinen gruptan birine ait mezar, vatan ve millete hizmet için canından vazgeçmeyi göze almış olanlara ait bir mezardır. "Serdengeçti"lik bir imtiyazı işaret ederdi.

Günümüzde mermere hakkedilen kitabe okunur, Serdengeçti kavuğu ise sağlam durumdadır.

▲ *Serdengeçti Hüseyin Ağa'nın mezarı*

◄ *Mezar taşındaki Serdengeçti kavuğu*

38

ÇELEBİ REŞİD EFENDİ MEZAR TAŞI

(1818)

~

Eyüp Sultan Türbesi haziresinin batısında, duvar dibinde bulunan Çelebi Reşid Efendi'ye ait mezar taşı kitabesi, hat tarihinde önemli bir yere sahiptir.

Kitabe, 19. yüzyılın deha mertebesinde kabul edilen hattatı Muṣṭafa Rakım Efendi tarafından sanatının zirvesindeyken, sekiz satır halinde celî sülüs hatla yazılmıştır.

Kitabe, 19. yüzyılın deha mertebesinde kabul edilen hattatı Mustafa Rakım Efendi tarafından sanatının zirvesindeyken, sekiz satır halinde celî sülüs hatla yazılmıştır.

Harflerinin güzelliği, satırların birbirleriyle uyumu, ritim ve dengeyi bünyesinde barındıran mezar taşı kitabesi, kendinden sonra gelen hattatların örnek aldıkları bir yazı olarak meşhurdur.

▲ *Mezar taşından bir kesit*

Muṣṭafa Rakım mektebinin özelliklerini taşıyan yazının zemini nefti yeşil renge boyanmış, harfleri altın varaklıdır. Taş işçiliği de güzel olan serpuşlu baş taşı kethüda sarıklıdır.

Mezar taşı kitabesi şu şekildedir:

"Hüve'l-Hallâku'l-Bâkî
Kudemâ-yı erkân-ı Devlet-i Aliyye'den
Bi'd-defaât kethudâ-yı sadr-ı âlî
Ve şıkk-ı evvel defterdârı ve reîsü'l-küttâb
Olub Tophâne-i Âmire nâzırı
İken vedâ'-ı âlem-i fânî eden
Merhûm ve mağfûr leh el-Hâc
Çelebi Muṣṭafa Reşîd Efendi rûhiçün Fâtiha
16 R (Rebiülahir) sene 1234 (m. 12 Şubat 1819)
Min şehr-i fî leyleti'l-hamîs
Rakamehu Muṣṭafa Râkım gufira lehümâ"

▲ *Mezar taşı kitabesinin kalıbı*

Eyüp haziresini çevreleyen şebekeye çok yakın olduğu için mezar taşının tamamının fotoğrafını çekme imkânı yoktur.

▲

Harbacı İsmail Beşe'nin mezarı

HARBACI İSMAİL BEŞE MEZAR TAŞI

(1821)

~

Osmanlı devlet teşkilatında harbacı yahut harbeciler, Muhzır Ağa'nın maiyetinde bulunan ve tomruk işleriyle, yani mücrimlerin tevkif ve hapisleriyle vazifeli olan kimselerdir. Bunlar, sırtlarına kaplan postu, başlarına keçe giyerlerdi. Bellerinde birer balta asılı olup ellerinde harba taşırlardı.

Edirnekapı Emin Efendi Bektaşi Dergâhı haziresinde bulunan Harbacı İsmail Beşe'ye ait mezarın baş taşı yeniçerilere ait "dardağan" sarıklıdır. Baş taşı üzerinde yer alan "Kef" harfi ve altında yer alan "32" rakamı merhumun 32. bölükten olduğuna işaret etmektedir. Simetrik olarak aşağıya bakar şekilde yerleştirilen iki adet mızrağın üst tarafında dalgalanan flamalar ve sallanan ucunda ağırlık bulunan iplerin resmedildiği "flandıra" da 32. bölüğün simgesidir.

Mezarın baş taşı kitabesinin okunuşu şöyledir:

"Merhûm ve mağfûr ilâ rahmet-i
Rabbihi'l-Gafûr Harbacı
İsmâil Beşe'nin
Rûhiçün rızâen
Lillâhi Te'âlâ el-Fâtiha
1237 (m. 1821)"

▲

Harbacılara ait temsili bir çizim

Osmanlı devlet teşkilatında harbacı yahut harbeciler, Muhzır Ağa'nın maiyetinde bulunan suçluların yakalanması ve hapisleriyle vazifeli olan kimselerdir. Bunlar, sırtlarına kaplan postu, başlarına keçe giyerlerdi. Bellerinde birer balta asılı olup, ellerinde harba taşırlardı.

Mezarın sonradan yapıldığı ve baş taşının buraya dikildiği anlaşılmaktadır. Ayak taşı yoktur. İstanbul mezarlıklarındaki yeniçerilere ait bölük işareti bulunan tipik örneklerden biridir. "Rabbihi'l-gafûr" ibaresinin sonunda bulunması gereken "ra" harfi sehven unutulmuş olmalıdır.

Mermere hakkedilen ve celî sülüs yazıyla yazılan kitabede başka bir süs unsuru yoktur. Yazı zemini ve harfleri mermer rengindedir. Zamanın tahribatı sonucu harfler keskinliğini kaybetmiştir.

40

ŞERİFE HANİFE HANIM MEZAR TAŞI

(1832)

~

İslam inancına göre şehitlik büyük mertebelerden biridir. Nifas halinde, yani lohusa iken ölen kadınların şehit olduğuna inanılır. Mezar taşları arasındaki nadir örneklerden biri doğum esnasında vefat eden Şerife Hanife Hanım'a ait taştır. Şehit olarak öldüğü kitabede ifade edilen mezar taşını diğer taşlardan ayıran en önemli özellik yekpare taş üzerinde iki mezar taşı kitabesinin bulunmasıdır.

Şerife Hanife Hanım'ın şahidesinin tepelik kısmı, simetrik olarak düzenlenmiş yaprak motiflerinin ortasında bulunan istiridye motifinden meydana gelmiştir. Başlık süslemesinin altında celî sülüs hatla yedi satır halinde taşa mahkuk kitabede şu ifadeler okunmaktadır:

"Rahmetu'l-lahi aleyhâ
Vedâ'-ı âlem-i fânî eden
Hamlinî vaz' edüb şehîden
Ecel câmın nûş eden
Humbarahâne muvakkiti Hâfiz Osman
Efendî'nin zevcesi Şerîfe Hanîfe
Hanımın rûhuna Fâtiha
19 Rebiülevvel sene 1248"

Miladi 16 Ağustos 1832 tarihli mezar taşında satırların arasını düz çizgiler bölmektedir. Mevcut kitabenin alt tarafında; taşın ortasından başlayıp aşağıya doğru uzanan ve kabartma olarak işlenmiş çocuk mezar taşı bulunur. Hatta buna çocuk değil bebek mezar taşı demek daha doğrudur. Kü-

▲
Şerife Hanife Hanım'a ait mezar taşı

çük sarıklı ve daha ince kalem ağzıyla yazılmış dört satırlık celî sülüs kitabeli çocuk mezar taşı hafif sağa meyyal olarak taş üzerine yerleştirilmiştir. Kabartma şahidenin ayak kısmı dikilmeye hazır şekilde nakşedilmiştir. Şerife Hanife Hanım'ın Mustafa Hikmet adlı oğluna ait mezar taşı kitabesinin okunuşu şöyledir:

"Mahdûmu
Seyyîd Mustafa
Hikmet Molla'nın
Rûhîçün Fâtiha"

Şehit olarak öldüğü kitabede ifade edilen mezar taşını diğer taşlardan ayıran en önemli özellik yekpare taş üzerinde iki mezar taşı kitabesinin bulunmasıdır.

▲ Şerife Hanife Hanım'ın Mustafa Hikmet adlı oğluna ait mezar taşı

Doğum yaparken çocuğuyla beraber vefat eden Şerife Hanife Hanım'ın kocasının Humbarahane'de, yani Osmanlı Devleti'nde askeri bir teşkilat olan Humbaracı Ocağı'nda çalıştığı kitabede zikredilmiştir. Humbara, demir ve tunçtan dökülmüş el bombalarının ve toplarının imal edildiği yerdir. Bu ocakta muvakkit olarak, yani namaz vakitlerinin tayinleriyle uğraşan Hafız Osman Efendi, aynı anda hem muhterem zevcini hem de çocuğunu kaybederek büyük acılara gark olmuştur.

Önceleri Edirnekapı'da Maktul Mustafa Paşa Türbesi yakınlarında iken, bugün Türk İslam Eserleri Müzesi'nde korunan mezar taşı kültür ve sanat tarihimizin en kıymetli hazineleri arasındadır.

41

ALİ RIZA PAŞA MEZAR TAŞI

(1837)

~

Eyüp Mihrişah Valide Sultan İmareti karşısındaki mezarlıkta, Bostan İskelesi Sofası tarafında duvar dibinde bulunan mezar, tasarımı ve işçiğiyle ilgi çekici bir mezardır. Mezar; Mahmudi püsküllü fesiyle, ayak taşıyla, lahtin gövdesinde yer alan süslemeleriyle kültür ve sanat tarihimizin eşsiz eserleri arasında yer almaktadır.

Küttabdan Seyyid Ali Rıza Paşa, Darphane başkâtibi olup, mesleğinde yükselerek Darbhane nazırı olmuştur. 1835'te lağvedilen şıkk-ı evvel defterdarlığı görevine ilave edilip, Darphane defterdarlığı unvanıyla ûlâ rütbesini almıştır. 1252 Ramazan'ının Kadir gecesi (4 Ocak 1837) Musa namında biri tarafından Ayasofya Camii'nde minber dibinde şehit edilmiştir.

Ali Rıza Paşa'nın Eyüp'te bulunan mezarı

Mezar; Mahmudî püsküllü fesiyle, ayak taşıyla, lahdin gövdesinde yer alan süslemeleriyle kültür ve sanat tarihimizin eşsiz eserleri arasında yer almaktadır. Çiçek kabartmalarıyla süslü mezarın baş taşındaki kitabe iki sıra halinde beş satırdan oluşur.

◂ *Mezarın baş taşındaki kitabe*

Çiçek kabartmalarıyla süslü mezarın baş taşındaki kitabe iki sıra halinde beş satırdan oluşur. Celî ta'lik hatla ve kabartma olarak yazılmıştır. Ayak taşında yazı yoktur. Süsleme ve yazıların zemini mermer rengindedir.

Mezarın baş taşı kitabesinde:

"Âlî-sîret müşîr-i darbhâne
Rızâ verdi kazâya ez-dil ü cân
Ayasofya içinde vakt-i iftâr
Şehîden kıldı azm-i hân-ı gufrân
Ânı bir İbn-i Mülcem-pîşe hâin
Bıçakla vurdu ansız göçdü ol ân
Sa'âdet-i zâtına nisbetle lâkin
Bu mâtem cümle nâsı kıldı giryân
Ser-i engüşt-i şehâdetine yazdı târîh
Ali bâb-ı rızâya oldu pûyân
Rûhiçün el-Fâtiha"

Üzerinde tarih bulunmayan sandukalı lahit mezarın ayak taşının üst tarafında yukarıdan aşağıya doğru gittikçe küçülen ve yan yana bitişik yapraklardan meydana gelen süslemelerde görülen işçilik oldukça yüksektir. Sanduka üzerinde de bitkisel motiflerden oluşan süsleme örnekleri görülür.

42

SEYYİD HALİL AĞA MEZAR TAŞI

(1844)

~

Seyyid Halil Ağa tarafından mı vasiyet edildiği yoksa muzip yakınları tarafından mı yazdırıldığı bilinmeyen mezar taşı kitabesi, eşinin "dırıltısı" nedeniyle ölen bir koca hakkındadır.

▲ *Seyyid Halil Ağa'nın mezarına ait sarıklı baş taşı*

Mezar taşları üzerinde görülen kitabeler kimi zaman oldukça uzun ve mutantan, kimi zaman insanın yüreğini dağlayacak şekilde hüzünlüdür. Bazen kısacık ifadelerle mezarda yatanın hayatı özetlenirken, bazen kısa da olsa ömür, şiir diliyle uzun uzun anlatılır.

Mezar taşı kitabeleri arasında ifadeleri itibarıyla en dikkat çekici olanlardan biri Merkezefendi Mezarlığı'nda bulunmaktadır.

Ölüm sebeplerinin yer yer yazıldığı kabir kitabelerinde farklı ölüm sebepleriyle karşılarız. Kimi taundan gitmiştir, kimi canını doğumda vermiştir. Sebepler çeşit çeşittir, ancak son hep aynı biter. Kitabeyi okuduğunuzda hep bir hüzün yayılır.

Bahsi geçen mezar taşı kitabesi ise okunduğunda insanı tebessüm ettiren nadir taşlardan biri olarak tarihe geçmiştir. Günümüzde neredeyse yok olmak üzere olan mezarın baş taşı kitabesinde,

"El-Bâki
Merhûm ve mağfûr ilâ rahmeti
Rabbihi'l-Gafûr karı
Dırıltısından
Vefât eden es-Seyyid
Halîl Ağa'nın rûhuna Fâtiha
Sene 1260 (m. 1844)"

◂ *Mezar taşının eski bir fotoğrafı*

ifadeleri okunmaktadır. Kabri Eyüp Otakçılar Mezarlığı'nda bulunan Kazancı Mehmed gibi Seyyid Halil Ağa'nın da ölümüne sebep, sevgili karısıdır. Oldukça ilginç bu taşın ifadeleri Halil Ağa tarafından mı vasiyet edilmiştir, yoksa muzip yakınları tarafından mı yazdırılmıştır bilinmez ama mezar taşı kitabeleri arasında ünü oldukça yaygındır.

Sarıklı baş taşı altında bulunan yedi satırlık kitabeden günümüze dört satırlık bir kitabe kalmıştır. Kitabe, taşın cinsinden olsa gerek büyük bir hızla erimektedir.

Günümüzde ayakucuna Latin harfleriyle yazılmış yeni bir kitabe konmuştur. Bu kitabede, "Karılarının ve anasının kavgalarından kahrolarak ölen Halil Ağa isminde bir adamın vasiyetiyle kabir taşına şu ifadeler yazıldı" diyerek devamında taş üzerindeki metin yazılmıştır. Latin harfli kitabe metnini kim yazdı bilinmez ama mezar taşındaki bilgiler bu ifadelerle çelişmektedir.

DERVİŞ EMİN EFENDİ MEZAR TAŞI

(1846)

~

Önceleri cami civarında bir yerdeyken, yapılan bir düzenlemeyle hazirede bulunan diğer taşlarla birlikte caminin kıble duvarı önüne konulan mezar taşının dikkat çeken özelliği serpuşudur.

Fatih Balat'taki Ferruh Kethüda Camii haziresinde bulunan mezar taşı önceleri başka bir yerdeyken daha sonra bugün bulunduğu yere nakledilmiştir. Önceleri cami civarında bir yerdeyken, yapılan bir düzenlemeyle hazirede bulunan diğer taşlarla birlikte caminin kıble duvarı önüne konulmuştur. Belki de bu yüzden mezarın sadece baş taşı mevcut olup ayak taşı yoktur.

Baş taşının dikkat çeken özelliği serpuşudur. Serpuşun üst kısmının ucu arkaya doğru incelerek biter ve arkaya doğru kıvrımlıdır. Serpuşun alt kısmı ise birbirine eşit üç dilimden oluşur. Kitabesinde hac seyahati esnasında vefat ettiği yazılan Derviş Emin Efendi'nin hayatı hakkında elimizde bilgi mevcut değildir. İstanbul, hac seyahati yapanlar için bir menzil noktası idi. Rusya ve Avrupa'dan hacca gidenler için İstanbul önemli konaklama merkezlerinden biriydi. Derviş Emin Efendi muhtemelen hac seyahati esnasında vefat etmiş ve burada defnedilmişti.

Derviş Emin Efendi'ye ait mezar taşı

Baş taşı kitabesinin okunuşu şöyledir:

"Hüve'l-Hallâku'l-Bâki
Çâker-i âl-i Muhammed bende-i Selmân-ı Pâk
Sâlik-i râh-ı Hudâ seyyâh-ı aktâr-ı zemîn
Kaşgarîden Nakşbend-i meslek-i irfân idi
Eyledi esnâ-yı hacda rıhlet-i huld-i berîn
Enbiyâ vü evliyânın hürmetiçün eyleye
Cennet ü dîdâr ile ikrâm Rabbü'l-âlemîn
Böyle nutk-ı erenler fevtinin târîhini
"Hû" deyüb gitti bekâya "Hû"yla Dervîş Emîn
Sene fî 11 Z (Zilhicce) 1262 (m. 30 Kasım 1846)"

Mezar taşı üzerine celî ta'lik hatla 10 satır halinde hakkedilen kitabe mail şekilde yazılmıştır. Hattat imzası bulunmayan kitabenin yazısı vasattır.

MEHMED ESAD YESARİ - YESARİZADE MUSTAFA İZZET EFENDİ MEZAR TAŞLARI

(1848)

~

Hat sanatının önemli isimlerinden baba-oğul hattatların mezarları Fatih Camii haziresindedir. Kabirleri önceleri Gelenbevi semtinde Tuti Abdüllatif Efendi Medresesi haziresindeyken yol çalışmaları sebebiyle önce Evkaf Müzesi'ne, daha sonra bugün bulundukları yere nakledilmiştir. Mezarların nakli sırasında Abdüllatif Efendi Medresesi'nin penceresinin şebeke kısmı kesilmiştir.

▲ *Yesari ve Yesarizade'nin mezarları nakledilmeden önce*

Mehmed Esad Yesari'nin mezar taşı oğlu Yesarizade, Yesarizade Muṣtafa İzzet Efendi'nin mezar taşı da talebesi Ali Haydar Efendi -imza yoktur- tarafından yazılmıştır.

Pencere üzerinde Yesari hattıyla celî ta'lik "Küllü nefsin zâikatü'l-mevt / El-Fakîr Mehmed Es'ad el-Yesârî gufire lehu" ibaresi yazılıdır. Bu ibarenin altında ise "*Merhûmân ve mağfûrün lehumâ Tûtî Abdüllâtif ve üstâd-ı ekrem Hattât el-Hâc Mehmed Es'ad el-Yesârî ruhlarıçün el-Fâtiha*" ifadeleri okunmaktadır.

Hat sanatının önemli isimlerinden baba-oğul hattatların mezarları Fatih Camii haziresindedir. Kabirleri önceleri Gelenbevi semtinde Tuti Abdüllatif Efendi Medresesi haziresindeyken yol çalışmaları sebebiyle mezar taşları önce Evkaf Müzesi'ne, daha sonra bugün bulundukları yere nakledilmiştir.

Mehmed Esad Yesari ile Yesarizade Mustafa İzzet Efendi'nin mezar taşları

Yesârîzâde'nin temsili resmi

Üstüvani, yani silindir şeklinde yan yana dikilmiş baş taşları üzerindeki kitabelerinin okunuşları şöyledir:

"Hüve'l-Bâkî
Üstâd-ı ekrem merhûm
Ve mağfûrün lehu Hattât el-Hâc
Mehmed Es'ad el-Yesârî Efendi
Rûhiçün el-Fâtiha
Fî 12 Receb Sene 1213 (m. 20 Aralık 1798)"

"Hüve'l-Bâkî
Yesârîzâde
Üstâd-ı ekrem merhûm
Ve mağfûrün leh el-Hâc

Muštafa İzzet
Efendi rûhiçün
Rızâen lillahi'l-Fâtiha
Fî Şa'bân Sene 1265 (m. Haziran 1848)"

Yesari'nin daha önce kırılmış olan baş taşı tamir edilmiştir. Üštüvani ayak taşları üzerinde herhangi bir süsleme ve yazı yoktur. Yazı zeminleri ve harfler mermer rengindedir.

45

MÜŞİR MAHMUD PAŞA MEZAR TAŞI

(1853)

~

Eyüp Hüsrev Paşa Türbesi arkasındaki hazirede bulunan mezar, sanduka, baş ve ayak taşıyla 19. yüzyıla ait mezarların özelliklerini taşımaktadır. Batı tesiri altındaki süsleme örneklerinin kullanıldığı ve formu itibarıyla kadın mezarlarını hatırlatan çizgilere sahiptir. Üzerinde yer alan Hamidi fes, toplar ve arma sayılmazsa ilk bakışta kadın mezarı zannedilebilir.

▲
Müşir Mahmud Paşa'ya ait mezarın ayak taşı

Baş taşındaki kitabesi, açılmış rulo şeklinde ferman gibi yazılmıştır. Üzerinde celî ta'lik hatla yazılmış kitabe ikişer satır halinde ve girift olarak yazılmıştır. Fes şeklindeki başlığın boyun kısmının altına Mecidi nişanı işlenmiştir. Nişanın alt tarafında girland, onun alt tarafında da kitabe yer alır.

Mezar taşı kitabesinin okunuşu şöyledir:

"Necl-i pâk-i Topçubaşı Muštafa Ağa ki Hak
Eylemişdi âşiyânın melce-i bây u gedâ
Hem kapudân olmuş idi hem müşîr-i ḫâssa
Bir mükemmel zât-ı maḥmûdüs-siyerdi bî-riyâ
İrci'î emri ile göçdü civâr-ı raḥmete
Rûz-i maḥşerde ola yâ Rab şefî'i Muštafa'ya
İsm-i a'zam ḥürmetine afv edüb taksîrini
Mazhar-ı dîdâr ede lütfen Cenâb-ı Kibriyâ
Ref'-i engüşt-i şehâdetle dedim târîhini
Adnini Me'vâ ede Mahmûd Paşa'ya Hüdâ
1273 (m. 1856)"

Baş taşındaki kitabesi, açılmış rulo şeklinde ve ferman gibi yazılmıştır. Üzerinde celî ta'lik hatla yazılmış kitabe ikişer satır halinde ve girifttir. Fes şeklindeki başlığın boyun kısmının altına mecidi nişanı işlenmiştir.

Müşir Mahmud Paşa'nın mezarı

Ayak taşı da baş taşına benzemektedir. Ancak kitabe yerine top arabası ve arabanın üst tarafında top namlusunu temizlemekte kullanılan techizat bulunmaktadır.

Sandukanın yan tarafında oval formun içine, savaş davulu, top, kılıç, alem, borazan, topuz, flama gibi objelerden oluşan arma işlenmiştir. Oldukça iyi durumdaki mezarda zamanla oluşan ve karıncalanma denilen bir durum söz konusudur.

MEHMED NİYAZİ PAŞA MEZAR TAŞI

(1860)

~

Süleymaniye Camii haziresinde bulunan mezar, sandukalı lahit şeklindedir. Baş ve ayak taşı bulunan mezarın baş taşı, Azizi feslidir. Sandukanın üzerinde savaş davulu ve baltası, borazan, kılıç, tüfek, top, tuğ ve bayrak gibi objeler, akant yapraklarından oluşan süsleme örnekleri arasında kullanılmıştır. Baş taşı oval madalyon şeklinde tasarlanmış, madalyon üzerine beş satır halinde celî sülüs hatla kitabe yazılmıştır.

Süleymaniye Camii haziresindeki mezar, sandukalı lahit şeklindedir. Baş ve ayak taşı bulunan mezarın baş taşı, Azizi feslidir. Sandukanın üzerinde yer alan savaş davulu ve baltası, borazan, kılıç, tüfek, top, tuğ ve bayrak gibi objeler, akant yapraklarından oluşan süsleme örnekleri arasında kullanılmıştır.

◂ *Mehmed Niyazi Paşa'nın mezarı*

Mezarın baş taşı kitabesinin okunuşu söyledir:

"Hüve'l-Bâkî
Mühimmât-ı harbiye ferîki
Es-Seyyid Mehmed Niyâzi Paşa
Rûhiçün el-Fâtiha
Fî gurre-i Ramazân sene 1277 (m. 13 Mart 1861)"

Sanduka mezarın camiye bakan arka yüzüne celî ta'lik hatla dokuz satır halinde yazılan kitabede ise şu ifadeler yer almaktadır:

"1218 senesi
Müşârünileyh Mevâlîden Mehmed Efendi'nin sulbünden
Tevellüd edüb hîn-i sabâvetinde Mühendishâne'ye ve bidâyet-i
Askerîde binbaşılık ve elli iki senesi livâlık ile mühimmât-ı
Harbiye memûriyetine ve altmış ikide ferîklik rütbesini bi'l-ihrâz
Dâr-ı Şûrâ ve Tophâne İ'mâlât Meclisi'nde a'zâ
Olduğu hâlde işbu yetmiş yedi senesi Ramazân-ı
Şerîfi gurresinde irtihâl-i dâr-ı bekâ etmişdir
Rahmetullahi aleyh"

Ayak taşı üzerinde ise daha çok kadın mezarlarında görmeye alıştığımız tarzda çiçeklerden oluşan bir süsleme vardır.

▲

Mehmed Niyazi Paşa'nın Hamidî fesli baş taşı

47

AHMED BİCAN EFENDİ MEZAR TAŞI

(1863)

~

Seyyid Ahmed Bican Efendi, Kadiri tarikatına mensuptur. Bu mensubiyet, baş taşı üzerine kabartma olarak işlenmiş Kadiri sikkesinden anlaşılmaktadır.

Eyüp Beybaba Sokağı Mezarlığı'nda medfun Seyyid Bican Efendi, Kadiri tarikatına mensuptur. Bu mensubiyet, baş taşı üzerine kabartma olarak işlenmiş Kadiri sikkesinden anlaşılmaktadır. Ayrıca bu durum mezar taşı kitabesinde de zikredilmiştir.

Mezarın baş taşı kitabenin okunuşu söyledir:

"Tarîkat-ı Aliyye-i Kâdiriyye
Bendegânından ve Hazîne-i Hâssa-i
Şâhâne Muhâsebe Odası
Mümeyyiz-i Evveli Es-Seyyid Ahmed Bîcân
Efendi'nin rûhi içün
Rızâen lillahi'l-Fâtiha
Sene 1280
Fî 3 Şa'bân-ı mu'azzam (m. 13 Ocak 1864)"

◂ *Ahmed Bican Efendi'nin mezarı*

Pehleli mezarın baş taşı üstüvani olup, kaide kısmında döneminin süsleme anlayışını yansıtan barok bitki motifleri bulunur. Sekiz satır halinde yazılan tokça celî sülüs yazı taşa ustalıkla hakkedilmiştir. Kabartma yazı, sikke ve süslemeler mermer rengindedir. Mezarın ayak taşı yoktur.

ATEŞ MEHMED SALİH PAŞA MEZAR TAŞI

(1865)

~

Tophane Kılıç Ali Paşa Camii haziresinde bulunan mezar İstanbul'daki denizci mezar taşları içinde en güzel örneklerden biridir. Bunun bir benzeri Sultan II. Mahmud Haziresi'ndedir. Mehmed Salih Paşa Trabzonlu bir denizcidir ve Osmanlı donanmasında çeşitli vazifelerde bulunmuş, 1863'te kaptanıderya olmuştur. İki sene bu görevi icra ettikten sonra 1865 yılında vefat etmiştir.

Kılıç Ali Paşa Camii haziresinde bulunan mezar İstanbul'daki denizci mezar taşları içinde en güzel örneklerden biridir. Mezar, ilk bakışta görenlere mezarın bir denizciye aidiyeti hakkında kuvvetli telkinlerde bulunmaktadır.

▸ *Ateş Mehmed Salih Paşa'nın mezarı*

Mezar, görenlere bu mezarın bir denizciye aidiyeti hakkında kuvvetli telkinlerde bulunmaktadır. Kullanılan semboller de bunu destekler. Kırılmış bir yelken direği, hayatın fırtınalarına yakalanmış fanilerin sonunu hatıra getirir. Ayak taşı silindir şeklinde olup, iki adet halka kabartması üzerine işlenmiştir.

Mezar, 2011 yılında yapılan restorasyonda temizlenmiştir, yazıları ve kabartma harfleri mermer rengindedir. Taşın Fransa'da yaptırıldığına ve oradan getirtildiğine dair iddialar varsa da bu konuyu ispatlayacak bir belge yoktur.

Hattat Sırrı Efendi tarafından celî ta'lik hatla yelken bezi şekli verilmiş mermer üzerine oldukça meyilli bir şekilde yazılan kitabenin okunuşu şöyledir:

▲
Mehmed Salih Paşa'nın celî ta'lik hatla yazılmış mezar taşı kitabesi

"Âh mine'l-mevt
Çalışub tâate ummân-ı günâha dalmaz
Fikr eden fırtına-i mahşeri her subh u mesâ
İşte yelkenledi limân-ı bekâya eyvâh
Genç iken zevrak-ı cism-i kapudân-ı deryâ
Emr-i tersâneyi usretden ederdi tahlîs
Zâtını bâd-ı ecel eylemeseydi ifnâ
Sıdk u ihlâsını fehm eyle kim etdi hem-dem
Ali Paşa gibi bir seyf-i gazâya Mevlâ
Mâtemi asker-i bahriyeyi kıldı giryân
Ola müstağrak-ı rahmet o müşîr-i vâlâ
Şekl-i girdâb ile târîhini yazdı Safvet
Sûy-i Firdevs'e pupa etdi Mehmed Paşa
Fî 23 Şa'bân sene 1281(m. 21 Ocak 1865)
Nemakahu Sırrı"

Mezarın sandukasının üzerinde de çeşitli süsleme örnekleri vardır. Bir zincir mezarı boydan boya sararken, balta ve çıpaların çapraz şekliyle oluşturulmuş armayı hatırlatan kompozisyonun ortasına bir hilal motifi yerleştirilmiştir.

KOLAĞASI RİFAT BEY MEZAR TAŞI

(1866)

~

Rumelihisarı Kayalar (Aşiyan) Mezarlığı'nda bulunan mezarın baş kısmı kırılmıştır. Muhtemelen fesli bir başlıkla tamamlanan mezar taşı, uzaktan bakıldığında bir insanı hatırlatmaktadır. Mezarın baş taşı, apoletleriyle, Mecidi nişanıyla ve yaver kordonuyla gerçek bir heykel gibidir. Şahidenin orta bölümünde on iki satırdan oluşan mezar kitabesi celî ta'lik hatla oval bir formun içine yazılmıştır. Oval formun etrafı yaprak motifleriyle sarılmıştır. Çok usta bir işçilik ve tasarım eseri olan mezarın kitabesinin okunuşu şöyledir:

"Hüve'l-Bâki
Hak Selîm Paşa'ya ihsân eylesün sabr-ı cemîl
Oğlunun fevtiyle gösterdi sipihr-i dûn keder
Kolağalık rütbesiyle yâver-i hâkân iken
Yirmi iki yaşında aldı kurb-i Mevlâ'dan haber
Nass ile tebşîr edilmişdir gürûh-ı mü'minîn
Hak Te'âlâ kabrini tâ haşre dek pür nûr eder
Böyle bir mahdûm-i pâke dökmemek mümkün değil
Âh edüb mânend-i jâle eşk-i mâtem ser-te-ser
Fevtinin târîhini cevherle inşâd eyledim
Rahmet olsun kasr-ı Adn'e kıldı Rif'at Bey sefer
Sene 1282 (m. 9 Nisan 1866)
23 Za (Zilkade)"

▲

Kolağası Rifat Bey'e ait mezar taşı kitabesi

Genç yaşta vefat eden Rifat Bey'e ait mezar taşının üzerinde bulunan yazılar, mermere hakkedilmiştir. Taşın üzerinde yer yer kırılmalar mevcuttur.

Genç yaşta vefat eden Rifat Bey'e ait mezar taşı üzerinde bulunan yazılar, mermere hakkedilmiştir. Taşın üzerinde yer yer kırılmalar mevcuttur.

50

MOMDJİAN AİLESİ MEZAR TAŞI

(1867)

~

Şişli Ermeni-Katolik Mezarlığı'nda bulunan mezar "Momdjian Aile Kabri"dir. Etrafı mermer babalarla çevrilmiş aile mezarlığına defnedilenlerin isimleri için tek bir mezar kitabesi hazırlanmıştır. Mermer merdivenli, üçgen çatılı, silindir sütunlu küçük bir mabedi andıran mezar yapısı üzerinde, mezarda yatanların isimleri ve doğum-ölüm tarihlerinin yer aldığı bir levha bulunmaktadır. Bu levha üzerinde yarım daire şeklinde Ermeni alfabesiyle yazılan aile isminin hemen altında iki satır halinde ve bu defa Latin harfleriyle "Familie Momdjian" ifadesi okunmaktadır. Bu ifadenin altında alt alta olmak üzere müteveffaların isimleri yazılmıştır:

Etrafı mermer babalarla çevrilmiş aile mezarlığına defnedilenlerin isimleri için tek bir mezar kitabesi hazırlanmıştır.

◂ *Momdjan Aile Kabri*

Tereze Momdjian
1867 - 1905
Onnık Momdjian
1851 – 1918
Boghos Momdjian
1858 – 1921
Glotılde Momdjian
1862 – 1925
Antuan Momdjian
1886 – 1959
Zabel Momdjian
1905 - 1972

Momdjan ailesinin mezar taşı

Mezar yapısının çatısı görünümündeki kısmın tepesinde bir haç işareti bulunmaktadır. Yapının üçgen alınlığı üzerinde, mermer üzerine kabartma olarak AXPW harflerinin oluşturduğu bir inisiyal yer almaktadır. Sütunların alt ve üstünde kaideler üzerine de haç motifi işlenmiştir.

ADİLE HANIM MEZAR TAŞI

(1869)

~

Bayezid Camii haziresinde Büyük Reşid Paşa Türbesi'nin duvarına bitişik metal şebekeli sandukalı lahit mezarın üzerinde oldukça sanatlı baş ve ayak taşı bulunmaktadır.

Büyük Reşid Paşa'nın zevcesi Adile Hanım'a ait mezarın baş taşı kitabesi oval madalyon formun içine beş satır halinde, güzel bir celî sülüs hatla ve girift bir şekilde yazılmıştır. Kitabenin okunuşu şöyledir:

Büyük Reşid Paşa'nın zevcesi Adile Hanım'a ait mezarın baş taşı kitabesi oval madalyon formun içine beş satır halinde, gûzel bir celî sülüs hatla ve girift bir şekilde yazılmıştır.

"Allah Hû
Sadr-ı a'zam-ı esbak Muṣṭafa Reşîd Paşa merhûmun
Civârında medfûne olan halîle-i muhteremeleri
Merhûme ve mağfûrun lehâ Âdile Hanımefendi'nin rûhuna
Fâtiha Fî 24 L (Şevval) Sene 1285" (7 Şubat 1869)

Yüksek kabartma tekniğinin uygulandığı kitabenin üṣṭ tarafında Tanzimat sonrası Avrupai tarz süsleme görülür. Baş taşı yukarıya doğru daralmaktadır. Aynı formdaki ayak taşının kitabe kısmında Barok süslemeler arasında gül motifleri kullanılarak yapılmış bir kompozisyon mevcuttur.

Lahdin üzerinde de baş ve ayak taşlarıyla uyumlu Avrupai süsleme unsurları yer alır. Mezarın tamamı mermerden müteşekkil olup herhangi bir renk kullanılmamıştır. Nefti yeşil renge boyanmış metal şebekenin üzerinde de yine Batı tarzı süsleme unsurları hâkimdir.

Bayezid Camii haziresinde Adile Hanım'a ait şebekeli mezar

SEYYİD EBUBEKİR MÜMTAZ EFENDİ MEZAR TAŞI

(1870)

~

Meşhur Hattat Sami Efendi'nin hattı olan ketebe ve ibareler baş taşının hem ön tarafına hem de arka tarafına hakkedilmiştir. Taşın ön tarafına farklı olarak sehpa üzerinde destarlı bir Mevlevi sikkesi işlenmiştir.

Yenikapı Mevlevihanesi haziresinde bulunan ve bir yazı şaheseri olan taş üstüvani, yani silindir formlu olup tekke mensuplarından Seyyid Ebubekir Mümtaz Efendi'ye aittir. Baş taşı yazılı olup, ayak taşı düzdür. Mezar taşı kitabesi, düz üç satır halinde yazılmışken, "Lâ mevcûde illâ Hû" ve "Rahmetullahi aleyh" ibareleri istiflenmiştir.

Meşhur Hattat Sami Efendi'nin hattı olan ketebe ve ibareler baş taşının hem ön hem de arka tarafına hakkedilmiştir. Taşın ön tarafına farklı olarak sehpa üzerinde destarlı bir Mevlevi sikkesi işlenmiştir. Kitabelerin okunuşu şöyledir:

"Lâ mevcûde illâ Hû
De'âvî Nâzırı sâbık
El-Merhûm el-Mevlevî
Es-Seyyid Ebûbekir Mümtâz Efendi
Rahmetullahi aleyh
Fî 19 Za (Zilkade) sene 1287 (m.10 Şubat 1871)
Ketebehu Sâmi"

Seyyid Ebubekir Efendi'nin baş taşı Mevlevî sikkeli kitabesi

▼

Yazılar ve sehpa üzerindeki Mevlevi sikkesi mermere temiz bir işçilikle uygulanmıştır. Yazı zemini ve kabartma harfler mermer rengindedir. Mezarın etrafı yeşil boyalı metal bir şebekeyle çevrilmiştir. Şahidelerin alt kısımlarında dönemin süsleme anlayışını yansıtan örnekler görülmektedir.

Mümtaz Efendi'ye ait mezar taşı, üzerinde yer alan istifli ibareleri ve düz satırlarda kullanılan harf kompozisyonları ve harflerin güzelliğiyle hat sanatı açısından sanat değeri yüksek mezar taşlarına güzel bir örnektir.

HATTAT MEHMED HULUSİ EFENDİ MEZAR TAŞI

(1874)

~

Sülüs-nesih yazının büyük ustası Hattat Şevki Efendi'nin hem dayısı hem de hat sanatında hocası olan Mehmed Hulusi Efendi'nin kabri Merkezefendi Kabristanı'ndadır.

Mermere hakkedilen ve nefis bir celî sülüs hatla dokuz satır halinde yazılan kitabenin harfleri siyah renge boyanmıştır.

◂

Hattat Mehmed Hulusi Efendi'nin mezarı

Her geçen gün güzelliğinden bir şeyler kaybeden mezarın baş taşı kitabesinin okunuşu şöyledir:

"Hüve'l-Hallâku'l-Bâki
Kıdve-i hattâtîn ve meşâyih-i cevâmi-i
Selâtin ve sülâle-i tâhire-i Mehmed Şems-
Eddîn el-Buhârî aleyhi rahmetü'l-Bârîden
Câmi-i Nusret Şeyhi olub hilye-i kemâlât-ı
Zâhire ve bâtına ile mevsûf olan
Mazanne-i kirâmdan Hâce el-Hâc Seyyid
Mehmed Hulûsi Efendi'nin rûhiçün Fâtiha
Fî gurre-i Rebiülevvel sene 1291 (18 Nisan 1874)
Ketebehu Şevki"

İmzadan da anlaşıldığı üzere mezar taşı kitabesini talebesi Şevki Efendi yazmıştır. Mermere hakkedilen ve nefis bir celî sülüs hatla 9 satır halinde yazılan kitabenin harfleri siyah boyayla boyanmıştır. Harflerin zamanın tahribatına karşı koyamadığı sanatseverler tarafından üzülerek gözlenmektedir.

Mehmed Hulusi Efendi, Koca Ragıb Paşa Kütüphanesi'nin birinci hafız-ı kütüplüğü, Hekimoğlu Ali Paşa Camii hatipliği ve Nusretiye Camii kürsi şeyhliği görevlerinde bulunmuştur.

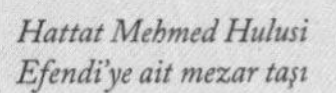

▲ *Hattat Mehmed Hulusi Efendi'ye ait mezar taşı*

54

KADIASKER MUSTAFA İZZET EFENDİ MEZAR TAŞI

(1876)

~

Bestekâr, neyzen, hanende, devlet adamı ve Türk hat sanatının önde gelen isimlerinden biri olan Kadıasker Mustafa İzzet Efendi, Kastamonu'da doğdu. On bir Kur'an-ı Kerîm, bir o kadar Delâil-i Hayrât, otuzdan fazla En'âm-ı Şerîf, iki yüzden fazla Hilye-i Saadet levhası, pek çok kıt'a ve murakka, yani yazı albümü yazmıştır. Ayasofya'daki 7,5 metre çapındaki çeharyâr-ı güzîn takımları ve Ayasofya'nın kubbe yazıları da İzzet Efendi'ye aittir.

Tophane Kadirihane Tekkesi'nin haziresine defnedilen Kadıasker'in mezar taşı Muhsinzade Abdullah Hamdi Bey tarafından celî sülüs hatla yazılmıştır.

◂

Kadıasker Mustafa İzzet Efendi'ye ait mezar taşı

15 Kasım 1876'da Tophane Kadirihane Tekkesi'nin haziresine defnedilmiş ve mezar taşı talebelerinden Muhsinzade Abdullah Hamdi Bey tarafından 11 satır halinde girift celî sülüs yazıyla nefis bir şekilde yazılmıştır.

Mezarın baş taşı kitabesinin okunuşu şöyledir:

"Hüve'l-Hayyu'l-kadîm
Nakîbü'l-eşrâf ve reîsü'l-ulemâ-i ve'l-hattâtîn
Cenâb-ı Pîr İsmâil Rûmî kaddesallahu sırrahu evlâdından
Ve Muhammed Can Hazretleri hulefâsından imâm-ı evvel-i
Cenâb-ı tâcdarî ve dört def'a Rumeli
Sadâreti ve meclis-i vâlâ a'zâlığı menâsıbı
Ve meclis-i hâss-ı vükelâya me'mûr iken âzim-i
Tekyegâh-ı bekâ olan serefrâz-ı erbâb-ı fezâil
Ve kemalâtdan ve tarîk-i Nakşıbendiyye küberâsından
Camiü'r-riyâsât es-Seyyid el-Hâc Muṣṭafa

İzzet Efendi Kuddise Sırrahu Hazretleri'nin kabr-i münevverleridir."
27 L (Şevvâl) 1293 (m. 15 Kasım 1876)
Muhsinzâde Abdullah min tilâmiz-i müşârünileyh"

Sarıklı mezar taşı üzerinde herhangi bir süsleme örneği yoktur. Günümüzde kitabenin zemini mermer renginde, kabartma harfleri altın varaklıdır.

55

HASAN RIZA PAŞA MEZAR TAŞI

(1877)

~

İmzalı mezar taşı kitabesini, devrin meşhur sülüs-nesih hattatlarından Mehmed Şevki Efendi girift bir celî sülüs hatla yazmıştır.

Çemberlitaş'taki Sultan II. Mahmud Türbesi haziresinde bulunan mezar, pehleli mezar olarak tasarlanmıştır. Mermer işçiliğinin güzel örneklerinden biri olan mezar baş ve ayak taşından oluşmaktadır. Dönemin mezar anlayışını yansıtan mezarın her iki taşı da üstüvani yani silindir şeklindedir. Ayak taşı sade olan mezarın baş taşı altı satır halinde celî sülüs hatla yazılmıştır.

Mezar taşı kitabesinin okunuşu şöyledir:

"Hüve'l-Hallâku'l-Bâki
Dokuz def'a mesned-i celîl-i ser-askerîde
Bulunmuş ve meclis-i a'yân a'zâsından iken
Vedâ'-i âlem-i fâni eylemiş olan merhûm
Ve mağfûrun leh Hasan Rızâ Paşa rûhiçün
Ve kâffe-i ehl-i îmân rûhiçün Fâtiha
Sene fî 17 Zilkade 1294 (m. 23 Kasım 1877) Ketebehu Şevki"

Baş ve ayak taşlarının kaide kısımlarında dönemin süsleme tarzını yansıtan süsleme örnekleri görülmektedir. Hattat imzası bulunan mezar taşı kitabesini, devrin meşhur sülüs-nesih hattatlarından Mehmed Şevki Efendi girift bir celî sülüs hatla yazmıştır.

Kitabenin üst kısmında, "destarsız dal sikke" şeklindeki Mevlevi serpuşu mermere kabartma olarak işlenmiştir. Sikkenin hemen altında ise bir sadak ve yay üzerine konmuş bir ok motifi vardır. Bu simgeler bize Hasan Rıza Paşa'nın meşrebi ve ilgi alanlarıyla ilgili ipuçları vermektedir.

Hasan Rıza Paşa'nın Sultan II. Mahmud haziresinde bulunan mezarı

İKOS K. İLİASKU AİLESİ MEZAR TAŞI

(1878)

~

Şişli Rum-Ortodoks Mezarlığı'nda bulunan aile mezarı küçük bir bazilika şeklinde tasarlanmıştır. Ön tarafında bir apsis bulunan yapının çatısı da eski Yunan tapınaklarını hatırlatır. Çatının ön kısmında uzaktan da görülen mermerden bir haç bulunmaktadır. Mezar yapısına metal bir kapıdan girilmektedir. Kemerli kapının üstündeki üçgen alınlıkta defne dallarından oluşturulan oval formun içine mezar sahibi ailenin adı yazılmıştır:

"İKOS K. İLİASKU"

Yapının içindeki zeminde üzerinde haç motifinin yer aldığı bir kapak bulunmaktadır. Definler mermer kapağın altında bulunan bölüme yapılmıştır.

Mezarın kemerli kapısının üst kısmı

Kapı kemerinin üzerinde majiskül olarak "K" ve "H" harflerinin kullanıldığı aileye ait inisiyal bulunmaktadır. Yapının içindeki duvara, dışarıdan bakanların görebilecekleri şekilde mezarda yatanların isimleriyle doğum ve ölüm tarihleri yazılmıştır. 1878 ile 1955 tarihleri arasında gömülen dokuz kişinin isminin yazılı olduğu mezarın içi de dışı gibi mermerden yapılmıştır.

Yapının iç zemininde üzerinde haç motifinin yer aldığı bir kapak vardır. Definler bu mermer kapağın altında bulunan bölüme yapılmıştır.

Yapının girişinde metal kapının sol tarafında mimarın ismi Yunanca yazılıdır. Burada "ARHITEKTON DLA. PANAYOYİDİS" ibaresi okunmaktadır.

İkos K. İliasku ailesine ait mezar anıtı

KAPTANIDERYA KAYSERİLİ AHMED PAŞA MEZAR TAŞI

(1878)

~

Kaptanıderya Kayserili Ahmed Paşa

Süleymaniye Camii haziresinde medfun bulunan Ahmed Paşa, 1806'da Kayseri'nin Develi Kazası Pusatlı Köyü'nde doğdu. İstanbul'a geldiğinde bahriye neferi olarak askerliğe başladı. Gösterdiği bazı başarılarla önce mülazımlığa, sonra da yüzbaşılığa terfi ettirildi. Trablusgarb ve Mısır'da gösterdiği başarılar sebebiyle miralay, Mustafa Reşid Paşa tarafından mirliva, sonra da ferik amiral yapıldı.

Kırım Savaşı'nın ilk safhalarında kapdanıderyalık vazifesini vekaleten yürüten Ahmed Paşa'ya, Sivastopol Muharebesi'ndeki hizmetinden dolayı vezirlik (müşir) rütbesi verildi.

Kırım Savaşı'nın bitmesinden sonra İstanbul'a gelen Kayserili Ahmed Paşa, 1857'de merkezi Rodos olan Cezayir-i Bahr-i Sefid, 1860'da İzmir, sonra da Sayda Valiliği'ne gönderildi. 1873'te ise bahriye nazırı oldu.

Sultan Abdülaziz'in tahttan indirilmesinde sarayı emrindeki donanmasıyla denizden ablukaya aldı. Eğer bir muhalefet olursa sarayı topa tutacaktı.

Vakanüvis Lütfi Efendi, II. Abdülhamid Han'a takdim ettiği bir kitabında; "zikri geçen bu adam cahil ve cesur, bednazar (kötü görüşlü) bir şahs-ı menfur idi. Bunun da hainliğine sebeb meğer Sultan Abdülaziz Han, kapudanpaşalık ünvanını merkumdan diriğ buyurması (uzak tutması) imiş. Ne büyük mel'anet!" diye bahsetmektedir.

Sultan II. Abdülhamid Han tahta geçince Ahmed Paşa Bahriye Nazırlığı'ndan alınıp Tuna'ya vali olarak gönderildi. Ölümünden yirmi-otuz gün evvel İstanbul'a gelmesine müsaade edilen Ahmed Paşa, Süleymaniye Camii haziresine gömüldü.

Mezar taşı kitabesi şöyledir:

"Hüve'l-Hallâku'l-Bâki
Asâkir-i Bahriyye-i Şâhâne
Müşîrân-ı fihâmından esbak
Kapudân-ı Deryâ merhûm
Ve mağfûrün leh Kayseriyeli Ahmed Paşa
Rûhiçün Fâtiha
Fî 3 Za (Zilkade) Sene 1295" (m. 29 Ekim 1878)

Ölümünden yirmi-otuz gün evvel İstanbul'a gelmesine müsaade edilen Ahmed Paşa, Süleymaniye Camii haziresine gömülmüştür.

◂ *Kaptanıderya Kayserili Ahmed Paşa'nın mezar taşı*

Mezar taşı kitabesinin üzerinde zincirli bir çıpa kabartması yer almaktadır. Üstüvani mermer taşın alt kısmında son dönem süsleme örneklerinden yaprak motifleri mevcuttur. Yedi satır halinde celî sülüs hatla yazılan kitabenin zemini ve harfleri boyanmamıştır.

ESRARİ HIZIR BABA MEZAR TAŞI

(1880)

~

▲ *Esrari Hızır Baba'nın mezarına ait baş taşı*

İstanbul Göztepe Şahkulu Dergâhı haziresinde, Şahkulu Sultan Türbesi'nin arkasında bulunan mezar taşı ilginç bir örnektir. Mezarın baş taşı, Bektaşi serpuşlu olarak tasarlanmış olup alt tarafı üstüvanidir. Alttaki silindirik kısımda celî sülüs hatla yazılmış büyük bir "elif" harfi mermere hakkedilmiştir. Elif harfinin hemen üstünde daire bir form içine tarih yazılmıştır:

"26 Muharrem 1298 (m. 29 Aralık 1880)"

On iki terkli, yani dilimli Bektaşi başlığının üstüne, dilimlerin arasında ketebeye yer açılarak, mezarda yatan zatın ismi celî ta'lik hatla yazılmıştır. Bu kısımda ise şu ifadeler okunmaktadır:

"Bende-i Âl-i abâ Esrârî Hızır Baba"

Ayak taşı baş taşından daha kısa ancak o da üstüvanidir. Ayak taşı üzerinde herhangi bir ibare ve süsleme yoktur. Taşlar mezar üzerine dökülen beton üzerine dikilmiş olup, yazılar ve zeminleri mermer rengindedir.

Mezarın baş taşı Bektaşi serpuşlu olup, alt tarafı üstüvanidir. Taşın gövdesinde celî sülüsle yazılmış büyük bir "elif" harfi bulunur.

▶ *Hızır Baba'nın Elifi mezar taşı şahidesi*

MEHMED HIFZİ EFENDİ MEZAR TAŞI

(1882)

~

Mehmed Hıfzi Efendi'nin kabri Fatih Draman'da, semte adını veren Draman (Dragoman) Camii haziresinde bulunmaktadır.

Mezarın baş taşının en üstünde celî sülüs hatla yazılmış simetrik "Hu" ibaresinin sağ ve solunda yine simetrik olarak tarikatın sembolü olan "sümbül" motifleri kabartma olarak mermere nakşedilmiştir.

◂

Mehmed Hıfzi Efendi'ye ait mezar taşı

Mezarın baş taşının en üstünde celî sülüs hatla kitabe metninin yazıldığı kalemden daha kalınca yazılan müsenna yani simetrik "Hu" ibaresinin sağında ve solunda yine simetrik olarak Sünbüliye tarikatının sembolü olan "sümbül" motifleri kabartma olarak mermere nakşedilmiştir.

Mehmed Hıfzi Efendi'nin kabartma sümbül motifli mezar taşı

Sekiz satır halinde ve celî sülüs hatla yazılıp hakkedilen kitabe mermer rengindedir. Günümüzde iyi durumda olan mezarın baş taşı kitabesinde şu ifadeler okunmaktadır:

"Hû Allah
Dırağman Dergâh-ı Şerîfi
Poštnişîni iken irtihâl-i
Âlem-i cemâl eden tarîkat-i
Aliyye-i Sünbüliyyeden es-Seyyid eş-Şeyh
Mehemmed Hıfzî Efend'nin halvethâne-i
Ma'nevîsidir. Rûhi içün
El-Fâtiha
22 Muharremü'l-harâm
Sene (1)300 Yevm-i Cum'a (m. 3 Aralık 1882)"

Camiye çıkılan merdivenlerin sol tarafında bulunan hazirede yer alan mezarın baş taşı sarık serpuşludur.

KAPTAN TATARZADE İBRAHİM PAŞA MEZAR TAŞI

1889

~

Çemberlitaş'taki Sultan II. Mahmud Türbesi'nin haziresinde bulunan Mora hanedanından Kaptan Tatarzade İbrahim Paşa'ya ait mezar, bir sanat şaheseridir. Mermer lahit, bir heykeltıraşın elinden çıkmış kadar usta bir işçilikle uygulanmıştır. Lahit kaidesinin alt kısmında lahdi saran zincir ve lahdin üstünde dolanan halat o kadar ustaca işlenmiştir ki insanda adeta gerçek bir halatın taşlaşmış hissini uyandırmaktadır.

Mora hanedanından Kaptan Tatarzade İbrahim Paşa'ya ait, bir sanat şaheseri olan mezar, bir heykeltıraşın elinden çıkmış kadar usta bir işçilikle uygulanmıştır.

◂

Kaptan Tatarzade İbrahim Paşa'nın mezarı

Çıpa, balta ve halat gibi denizcilikte kullanılan objelerin defne dallarıyla işlendiği lahtin baş kısmı

Ayak taşı kırılmış bir direktir. Lahtin ortasında süslü mermer bir vazo bulunmaktadır.

Lahtin gövdesinde kabartma çiçek motifleri yer alır. Lahtin baş ve sonunda çıpa, balta ve halat gibi denizcilikte kullanılan objeler defne dallarıyla birlikte işlenmiştir.

Direğe asılı yelken bezi şeklindeki mermer üzerine mail bir şekilde celî ta'lik hatla yazılan kitabenin okunuşu şöyledir:

"Hüve'l-Hayyu'l-Bâkî
Kırk dört târîhinde silk-i celîl-i askerîye
Dâhil ve o zamandan beri vukû bulan muhârebâtda ve hidemât-ı
Sâire-i saltanat-ı seniyyede ibrâz-ı şecâat ve sadâkat etmekle
memdûhu'l-akrân ve'l-emâsil olmuş olan
Mora Hânedânı'ndan Tatarzâdeler demekle ma'rûf
Tâhir Bey mahdûmu âyândan kapudân-ı esbak
İbrâhîm Paşa'nın rûhiçün lillahi'l-Fâtiha
Fî 17 Receb sene 1306" (m. 19 Mart 1889)

Mezar taşının bir benzeri Kılıç Ali Paşa Camii haziresinde bulunmaktadır.

HALİL EFENDİ VE FATMA HANIM MEZAR TAŞI

(1891)

~

Beşiktaş Yahya Efendi Mezarlığı'nda bulunan mezar, tasarımıyla mezar taşları arasında ilginç bir yere sahiptir. Zira birbirinden ölünce dahi ayrılmayan karıkocanın tebessüm ettiren beraberliğinin taşlaşmış işareti sayılabilecek bir mezar taşına sahiptir. Sevginin, yekpare mermere işlenmiş mücessem hali şeklindeki mezarın baş taşlarından iki hayatın yan yana duruşu kolayca anlaşılmaktadır.

Halil Efendi'nin mezar taşındaki başlığı Hamidî fesli, Fatma Hanım'ın başlığı ile simetrik çiçek kompozisyonludur.

On bir yıl ara ile vefat eden karıkoca arasındaki sımsıkı ilişki ve hayatı paylaşmanın işareti olan mezar taşı kitabesi, on satır halinde ve celî sülüs hatla yazılan kitabe metninin onuncu satırının da ortak yazılmasıyla son bulur. Halil Efendi'nin mezar taşındaki başlığı Hamidi fesli, Fatma Hanım'ın başlığı ile simetrik çiçek kompozisyonludur. Erkek mezarının baş taşı kitabesinde şu ifadeler okunmaktadır:

"Hüve'l-Bâki
Devletlû necâbetlû
Kemâleddîn Efendi
Hazretleri'nin bende-
lerinden Basri Bey'in
Pederi merhûm Halîl
Efendi'ye târîh-i tâm
İntakale birahmetillah
Bir gelmişdir fî 2 Rebiü'l-evvel sene 1297
(13 Şubat 1880)"

Kadın mezarının baş taşı kitabesinde ise şunlar yazılıdır:

"Hüve'l-Bâki
Ve mîr-i mûmâ-
ileyhin vâlidesi
Merhûme ve mağfûrun
Lehâ Fatma Hanım
Dahi irtihâl-i
Dâr-ı bekâ
Eylemişdir
Fî 25 Ramazan sene 1308 (4 Mayıs 1891)"

▲

Halil Efendi ve Fatma Hanım'ın mezarı taşı

Mezar taşı kitabelerinin ortak satırında ise şunlar yazmaktadır:

"Mümâileyhimânın rûhlarına lillahi'l-Fâtiha"

62

SADULLAH RAMİ PAŞA MEZAR TAŞI

(1891)

~

Sadullah Rami Paşa, İstanbul'a dönmesine müsaade edilmemesinden kaynaklanan bir melankoli neticesinde Viyana büyükelçisiyken intihar etmiş, Sultan II. Mahmud Türbesi haziresine defnedilmiştir.

Tanzimat sonrası dönemin reformist bürokratları arasındaki en ilginç simalardan biri olan Sadullah Rami Paşa 1838'de Erzurum'da doğdu. Şair ve Vezir Esad Muhlis Paşa'nın oğludur.

Sadullah Paşa, Tanzimat devri edebiyatına mensup zevat arasında bilhassa kuvvetli nesir yazılarıyla bilinir ve tanınırdı. İstanbul'a dönmesine müsaade edilmemesinden kaynaklanan bir melankoli neticesinde 18 Ocak 1891'de Viyana büyükelçisiyken havagazıyla intihar etmiş, İstanbul'a getirilen naaşı Sultan II. Mahmud Türbesi haziresine defnedilmiştir.

▲

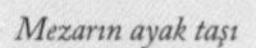

Mezarın ayak taşı

Mermer lahdinin üzerinde üstüvani baş ve ayak taşı bulunur. Baş taşı, on üç satır halinde celî sülüs hatla yazılmıştır. Baş taşı kitabesi şu şekilde okunmaktadır:

"Hüve'l-Hallâku'l-Bâki
Kutbu'l-ârifin Bünyâmin-i Ayâşî
Kuddise sırrahu'l-âli hazretlerinin
Sülâle-i tâhirelerinden esbak
Kürdistân Vâlisi Esad Paşa
Merhûmun necl-i nebîli olub Viyana
Sefîr-i kebîri iken irtihâl-i dâr-ı bekâ
İden mütehayyizân-ı vüzerâ-yı saltanat-ı
Seniyye ve vükelâ-yı Devlet-i Aliyye'den
Merhûm ve mağfûrun leh es-Seyyid
Sa'dullah Paşa'nın rûhiçün
El-Fâtiha
Sene 1308 (m. 1891)"

▲

Sadullah Rami Paşa

Ayak taşının okunuşu ise şu şekildedir:

"Nolsan budur cihânda hayâtın nihâyeti
Sa'dullah"

Sadullah Rami Paşa'nın
II. Mahmud haziresindeki mezarı

Mezar kitabesinde Sadullah Paşa'nın intiharıyla ilgili bir ifade bulunmamaktadır. Sanduka üzerinde yer alan defter ve tüy kalemler Sadullah Paşa'nın yazarçizer takımından olduğuna işaret etmektedir. Mezar, tasarımı ve mermer işçiliği açısından nefistir.

63

MEHMED ABDÜLHALİM (HALİM) PAŞA MEZAR TAŞI

(1894)

~

Çemberlitaş'taki Sultan II. Mahmud haziresinin orta kısımda süslü demir parmaklıklarla çevrili mezar oldukça gösterişlidir.

Osmanlı tarihinde isyanı ile farklı bir yere sahip Kavalalı Mehmed Ali Paşa'nın oğlu olan Mehmed Abdülhalim Paşa 1830'da Kahire'de doğmuştur. Bestekâr ve musikişinas olan paşa, Sultan Abdülaziz'in tahttan indirilmesinde rol oynamış ve V. Murad'ın cülusunu desteklemiştir. Abbas Halim ve Sadrazam Said Halim paşaların da babası olan Halim Paşa 1894'te İstanbul'da vefat etmiş ve II. Mahmud Türbesi haziresine defnedilmiştir.

Sekiz sütunlu ve ağır işlemeli, gayet iri bir lahtin üstünde saçak gibi bir korniş, onun da üstünde İtalyan usulünde mermer parmaklıklarla çevrili, teras gibi bir alan yer almaktadır. Bu sahanlığın ortasında, kare bir yapının üstünde dilimli oryantalist bir kubbe, kubbenin üstünde çelenklerle çevrili bir vazo, vazonun tepesinde ise mermer bir küre yer almaktadır. Ortada kubbeye benzer kütlenin her iki ucunda baş ve ayak taşı yükselmektedir. Alt tarafları yaprak, üst tarafları girlandla süslü bu iki sütunun ayak taşı üzerinde başka bir süsleme elemanı yoktur. Baş taşının üzerinde Hamidi bir fes bulunmaktadır. Kitabe mermere hakkedilmiş olup, zemini ve kabartma harfleri mermer rengindedir.

▲

Halim Paşa'nın mezar taşı kitabesi

Halim Paşa'nın Sultan II. Mahmud haziresindeki mezarı

Abbas Halim ve Sadrazam Said Halim paşaların da babası olan Halim Paşa, 1894'te İstanbul'da vefat etmiş ve II. Mahmud Türbesi haziresine defnedilmiştir.

Celî sülüs hatla yazılan kitabenin okunuşu şu şekildedir:

"Hûve'l-Hallâku'l-Bâki
Mısır Vâlisi esbak
Mehmed Ali Paşazâde
Merhûm ve mağfûr cennet-mekân
Firdevs-âşiyan devletlû
Halîm Paşa Hazretleri'nin
Rûh-ı şerîfleri içün
Lillahi Te'âlâ el-Fâtiha
Zilhicce Sene 1312 – Haziran Sene 1894"

64

KAYIŞZADE HAFIZ OSMAN EFENDİ MEZAR TAŞI

(1894)

~

▲ *Kayışzade Osman Efendi'ye ait mezar taşı*

Burdurlu Kayışzade Hafız Osman Efendi çok sayıda mushaf yazan hattatlarımızdandır ve muhtelif ebatlarda 106 adet mushaf yazmıştır. Son olarak yazmakta olduğu yüz yedinci mushafın Yusuf Sûresi'ndeki "Ersilhü ma'ana gaden yerta'u" yani "Onu yarın bizimle beraber gönder, gezsin" mealindeki ayetini yazdığı 12 Mart 1894 akşamı teravih namazını kıldırırken vefat etmiştir.

Mezar taşı Muhsinzade Abdullah tarafından yazılan hattatın kabri Merkezefendi Kabristanı'ndadır. Günümüzde harfleri siyah boyayla kötü bir şekilde boyanmış durumda, lakin ayaktadır. Kabre daha sonra defin yapıldığı, konulan Latin harfli yeni kitabeden anlaşılmaktadır. Yeni kitabe, Kayışzade Hafız Osman'ın taşının tarih kısmını maalesef kapatmıştır. İbnülemin'in *Son Hattatlar* adlı eserinde bulunan mezar taşı kalıbından hareketle kitabesinin tamamının okunuşu şu şekildedir:

"Hüve'l-Bâki
Yüz yedinci mushaf-ı şerîfin
Sûre-i Yûsuf'daki
Ersilhü ma'anâ gaden yerta'u
Âyet-i kerîmesine kadar tahrîr eden
Ve terâvih namâzını kıldırır iken
Esnâ-yı rükû'da vefât eden
Meşâhîr-i hattât ve mu'allim-i sıbyândan

Burdûrî Kayışzâde el-Hâc
Hâfız Osmân Efendi'nin
Rûhiçün rızâen lillah Fâtiha
Fî 5 Ramazan sene 1311(m. 12 Mart 1894)
Yevm-i Pazartesi"

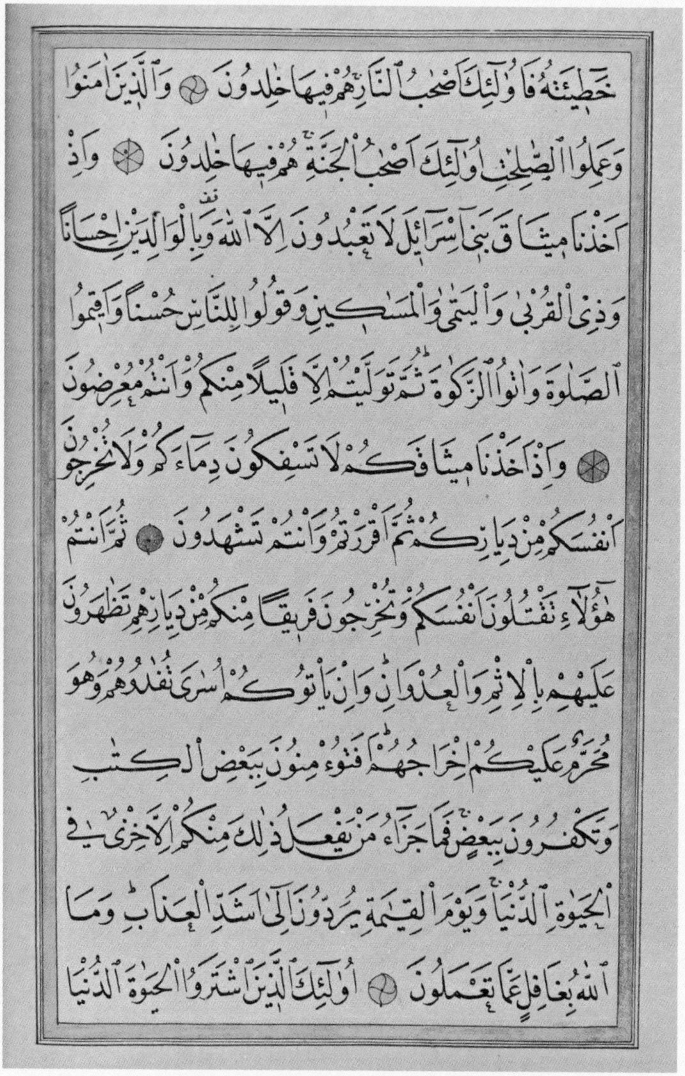

Teravih namazını kıldırırken vefat eden Burdurlu Kayışzade Hafız Osman Efendi çok sayıda mushaf yazan hattatlarımızdandır, muhtelif ebatlarda 106 adet mushaf yazmıştır.

◄ *Kayışzâde Hafız Osman'ın nesih hattıyla Kur'an Kerim sayfası*

17. yüzyılın meşhur hattatı ve hat sanatında mektep sahibi Hafız Osman ile Kayışzade, isimlerinin aynı olması yüzünden sık sık karıştırılmaktadır. Kitapçılarda "Hafız Osman hattı" olarak çokça rağbet gören baskı mushafların hattatı, Burdurlu Kayışzade Hafız Osman'dır.

MEHMED NAFİZ PAŞA MEZAR TAŞI

(1894)

~

Fatih Camii haziresinde Gülbahar Hatun Türbesi'nin sağ tarafında bulunan mezar, mermer işçiliğinin en güzel örneklerinden biridir. Baş taşı ve ayak taşı birbirinden güzel olan mezar şahideleri usta bir tasarım ve işçiliğin ürünüdür.

Pehleli mezarın baş ve ayak taşları aynı yükseklikte olup baş taşı, ay-yıldızlı bayrağa sarılmış bir heykel gibidir. Bayrağın kıvrımları üzerinde yer alan ay-yıldız usta bir işçiliğin ürünüdür.

▸ *Mehmed Nafiz Paşa'nın mezarı*

Pehleli mezarın baş ve ayak taşları aynı yükseklikte olup baş taşı, ay-yıldızlı bayrağa sarılmış bir heykel gibidir. Bayrağın kıvrımları üzerinde yer alan ay-yıldız usta bir işçiliğin mahsülüdür. Bayrağın sarıldığı baş taşı üstüvanidir. Baş taşı kitabesi silindir gövde üzerinde sarılmış bayrağın aralarındaki boşluklara yazılmıştır.

Mezarın ayak taşı da silindir şeklinde olup, üst kısmında bir küre yer almaktadır. İki adet kılıç ve mızrağın simetrik olarak işlendiği figürler alt kısımdan bağlanmış bir fiyonkla çapraz şekilde kompoze edilmiştir.

Mezar taşı kitabesi şöyledir:

"Hû
Na'ş-ı mağfiret-medârı livâ-i Osmânî
İle tezyîn olunmuş olan
Muhâkemât Reîsi Mehmed Nâfiz Paşa
Necd fütûhâtında şecâ'atine
Binâen seyf-i girân-behâya
Nâil olmuş bir mücâhid-i nâmdâr
Ve meziyyât-ı askeriyye ile müte'ârif
Bir müşîr-i sadâkat-şi'âr idi.
Rahmetullahi aleyh.
Fî 12 Rebiülâhir sene 1312 (m.13 Ekim 1894)"

66

OSMAN NURİ PAŞA MEZAR TAŞI

(1894)

~

Fatih Camii haziresinde bulunan mezar, baş ve ayak taşı tasarımıyla dikkati çeker. Sandukalı mezarın baş taşı üzerinde mezar kitabesi, ayak taşı üzerinde vazo içinden çıkan simetrik düzenlenmiş gül motiflerinden oluşan kompozisyon bulunur.

Ayak taşı tek başına bir hanım mezar taşını hatırlatmaktadır. Baş ve ayak taşı form olarak birbirinin benzeridir. Baş taşının serpuşu, "Hamidi" olarak bilinen Sultan II. Abdülhamid devrine ait bir festir. Taşın üst kısmına işlenmiş Mecidi nişan mezarda yatan kişinin paşa olduğuna işaret etmektedir. Sekiz satır halinde celî ta'lik hatla yazılan kitabenin satır araları çizgilerle bölünmüştür. Dönemin süsleme anlayışına göre yapılan Batı tarzı motifler usta bir işçilikle taşa hakkedilmiştir.

Mezarın baş taşının okunuşu aşağıdaki gibidir:

"Âh mine'l-mevt
Batum havâlîsi
hânedân-ı kadîminden
ve Rûmeli Beylerbeyiliği
pâyelülerinden İcâre sancağı Beyi-zâde
Musul vilâyeti Vâlîsi sâbık Osmân
Nûri Paşa'nın rûhiçün Fâtiha
Fî 23 Rebî'ü'l-evvel sene 1312 (24 Eylül 1894)"

▲
Osman Nuri Paşa'nın mezarının ayak taşı

Sekiz satır halinde celî ta'lik hatla yazılan kitabenin satır araları çizgilerle bölünmüştür. Dönemin süsleme anlayışına göre yapılan Batı tarzı motifler usta bir işçilikle mermere işlenmiştir.

▶ *Osman Nuri Paşa'ya ait mezarın baş taşı kitabesi*

Mezarın etrafı metal bir şebekeyle çevrilmiş olup, bakımlıdır. Mezar ve taşlar mermer rengindedir.

67

FATIMA HAYRİYYE HANIM MEZAR TAŞI

(1898)

~

Hüseyin Avni Paşa'nın kızı olan Fatıma Hayriyye Hanım'a ait mezar, Süleymaniye Camii haziresinde, mihrap duvarının önündedir. Mezarın baş ve ayak taşları dikdörtgen prizma şeklinde tasarlanmıştır. Lahit mezarın orta kısmında öne ve arkaya taşan mermer bir parça yer almaktadır. Tepelik formlu taçlarla biten prizmatik baş ve ayak taşlarının ön ve arka yüzleri yazılı, diğer iki yüzü ise mukarnas işlemelidir. Taç kısımlarda Rumi motifli süslemeler kullanılmıştır. Lahtin gövde kısmı da oldukça süslüdür. Kitabe metni Şair Ref'et tarafından yazılmıştır. Ebcedle düşürülmüş tarih beyti cevher tarihtir. Mezar taşı kitabesinin okunuşu şu şekildedir:

Mezarın tepelik formlu taçlarla biten prizmatik baş ve ayak taşlarının ön ve arka yüzleri yazılı, diğer iki yüzleri ise mukarnas işlemelidir. Taç kısımlarda Rumi motifli süslemeler kullanılmıştır.

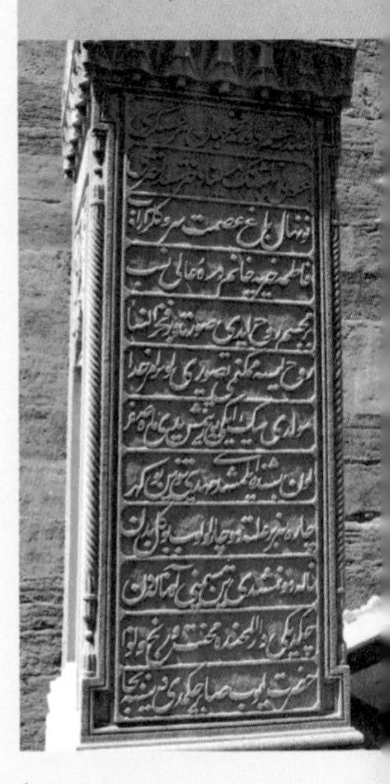

▲ *Fatıma Hayriyye Hanım'a ait mezar taşı kitabesi*

"Sadr-ı a'zam dâver-i efham cihân seraskeri
Avni Paşa'nın dirîgâ duhter-i sa'd-ahteri
Nev-nihâl-i bâğ-ı ismet serv-i gülzâr-ı edeb
Fatma Hayriyye Hanım dürre-i âlî-neseb
Bir mücessem rûh idi sûretde bu fahrü'n-nisâ
Rûh ise mümkün mü tasvîri o bir emr-i Hudâ
Mevlidi bin iki yüz yetmiş yedi Mâh-ı Safer
On beşinde eylemişdi mehdi tezyîn bu güher
Çâresiz bir illete dûçâr olub bu gül beden
Nâle dönmüşdü ten-i sîmîni âh nâleden
Çekdiği dârü'l-mihende mihnet ü renc ü ezâ
Hazret-i Eyyûb-i sâbir çekmedi dense becâ"
İrci'i emri be-fermân-ı celîl-i bî-mekân
Sem'ine vâsıl olunca eyledi teslîm-i cân
Hem-dem olsun Hazret-i Zehrâ'ya der-rûz-i cezâ
Hulle-i cennetden iksâ eylesün Mevlâ ona
Böyle bir perverde-i nâz u na'îmi kıldı hâr
Dest-i cevr ile felek dedikleri ol nâ-bekâr
Kabr-i pür nûrunda yatdıkca Hudâvend-i celîl
Hânedân-ı pâkine Rabbim vere sabr-ı cemîl
Zâir el aç oku budur niyâz-ı Fâtıma
Hak rızâsıçün revân-ı pâkine bir Fâtiha
Yazdı Re'fet gevherîn târîh bu âlî kıymete
Fâtıma Hayriyye göçdü sahn-ı kasr-ı cennete 1316 (m. 1899)

Hüve'l-Hayyü'l-Bâki
Efâhim-i vükelâ-yı saltanat-ı seniyye ve e'âzım-ı
Müşîrân-ı Devlet-i Aliyye'den sadr-ı a'zam

Fatıma Hayriyye Hanım'ın mezarı

Ve asâkir-i şâhâne-i seraskeri esbak merhûm
Hüseyin Avni Paşa Hazretleri'nin kerîme-i
Kebîresi tâcü'l-muhadderât umdetü's-sâlihât
Merhûme ve mağfûretün lehâ Fâtıma Hayriyye Hanım
Efendi'nin hâbgâh-ı ebedîsidir.
Revân-ı pâkine el-Fâtiha
Târih-i velâdeti 15 Saferü'l-hayr 1277 (M. 1860)
Târih-i rıhleti selh-i Şevvâlü'l-mükerrem 1316" (m. 12 Mart 1899)

Mezar kitabeleri celî ta'lik hatla yazılmıştır. Kitabede hattat imzası yoktur. Mermere hakkedilen yazı ve süslemeler mermer rengindedir. Yazı ve süslemeler zamanın etkisiyle keskinliğini kaybetmiştir.

68

HATTAT ABDULLAH HAMDİ BEY (MUHSİNZADE) MEZAR TAŞI

(1899)

~

1832'de Kuruçeşme'de doğan Hattat Muhsinzade Abdullah Bey, Sultan II. Mahmud'un Iśtabl-ı Âmire müdürü Mehmed Bey'in oğludur. On bir yaşında Beşiktaş Kapıağası Mektebi'nde Hafız Mehmed Efendi'den sülüs ve nesih meşk ederek icazet, yani yazı diploması aldı. Daha sonra hocası ve babasının onayıyla Kadıasker Muśtafa İzzet Efendi'den yazı sanatının incelîklerini öğrendi.

Kısa bir süre sadaret yazı işlerinde çalışan Muhsinzade Abdullah, Mehmed Şevki Efendi'nin vefatı üzerine boşalan Menşe-i Küttâb-ı Askeriyye'ye hüsnühat hocası oldu. Sultan II. Abdülhamid tarafından kendisine reisülhattatin unvanı verildi. 12 Rebiülahir 1317'de (m. 20 Ağuśtos 1899) Kuruçeşme'deki yalısında vefat etti. Naaşı ertesi gün defnedildi.

Eyüp Camii haziresinde, türbenin arkasında bulunan mezarı, şekil itibariyle pek alışılagelmiş mezar taşlarına benzemez. Hamidi fesli başlığın altında bulunan dikdörtgen çerçevenin içine mezar taşı kitabesi, iki satır halinde ve girift bir celî sülüs hatla yazılmıştır. Bu çerçevenin alt tarafında Avrupai tarzda süslemeler bulunur. Süslemelerin altında ise mezara kadar düz mermer kaide yer almaktadır.

▲
Hattat Abdulah Hamdi Bey'e ait mezar taşı

Hamidi fesli başlığın altında bulunan dikdörtgen çerçevenin içine yazılan mezar taşı kitabesi, iki satır halinde ve girift bir celî sülüs hatla yazılmıştır.

▸ *Hattat Abdulah Hamdi Bey'in mezar taşı kitabesi*

Kitabesinin okunuşu şöyledir:

"Tarîkat-i aliyye-i Kâdiriyye'den Reîsü'l-hattâtîn Muhsinzâde
Es-Seyyid Abdullah Bey'in rûh-ı şerîfiçün rızâen lillahi Fâtiha 1317 (m. 1899)"

Günümüzde mezar taşı üzerinde yer alan süsleme ve mermere hakkedilmiş harfler mermer rengindedir. Kitabede hattat imzası bulunmamaktadır.

69

HALİL RIFAT PAŞA MEZAR TAŞI

(1901)

~

Halil Rıfat Paşa, Osmanlı bürokrasi kademesinin en alt kademesi olan tahrirat kaleminden, en üst makam olan sadrazamlığa kadar yükselmiş önemli bir devlet adamıdır. 1827'de Serez'de doğan Halil Rıfat Paşa, 9 Kasım 1901'de vefat etmiştir.

▴ *Lahitten bir detay*

Eyüp'te Hüsrev Paşa Türbesi'nin arkasındaki hazirede bulunan mezarı, döneminin şaheser mezarlarından biridir. Mezar sandukalı lahit mezar türüne bir örnektir. Sanduka üzerine işlenmiş motiflerdeki işçilik gerçekten görülmeye değerdir. Sandukanın yanlarına işlenmiş simetrik yüksek kabartma motiflerde Avrupa tesiri barizdir. Üzerine vazodan çıkan üzüm motifleri işlenen mezarın ayak taşı da baş taşı gibi üstüvanidir. İki taşın da üst kısmı uca doğru daralan kıvrılmış S hareketiyle sona ermektedir. Mezarın üzerindeki mermer kaide üstünde bulunan bir vazo ve içinde farklı türde çiçekler yine mermere oldukça ustalıkla işlenmiştir.

Mezar, sandukalı lahit mezar türüne bir örnektir. Sanduka üzerine işlenmiş motiflerdeki işçilik gerçekten görülmeye değerdir.

▲ *Halil Rıfat Paşa*

◄ *Halil Rıfat Paşa'nın mezarı*

Baş taşı kitabesi on altı satır halinde celî sülüs hatla ve oldukça girift şekilde yazılmıştır. Hattat imzası bulunmayan taşın satır aralarında satırları ayıran çizgiler mevcuttur. Mezar taşı kitabesi, baş taşının ön yüzünde şu şekildedir:

"Hüve'l-Hayyu'l-Bâkî
Ey feyz-i lâ-yezâle taleb-ger ve rızâ-hâh
Geç hubb-i mâsivâdan zikret Hüdâ'yı her gâh
Hakdır hemîşe bâki fâni cemî' eşyâ
Etdi bu sırrı idrâk Rıf'at Paşa-yı âgâh

Olmuşken altı yıl hep devletde sadr-ı a'zam
Terk eylemişdi cümle vârı da'vet olunca nâ-gâh
Etmişdi nice hizmet terfîh için ibâdı
Olmuşdu iffetiyle müste'men-i şehinşâh
Hem-nâm idi Halîl'e olsun şefî'i Ahmed
Firdevs içinde âna kudsîler ola hem-râh
Ecr-i azîm görsün bi'l-cümle hânedânı
Deryâ-yı rahmet içre yatdıkça ol dil-âgâh
Geldi iki ferişteh târîhin etdi takrîr
Me'vâ ede cenânı Rıf'at Paşa'ya Allah
Sene 1319 (m. 1901)"

Oldukça iyi durumdaki mezarın baş taşı kitabesinde, zamanla oluşan ve karıncalanma denilen bir durum söz konusudur.

70

OHANNES SAKIZYAN PAŞA MEZAR TAŞI

(1903)

~

Dört adet mermer sütun arasına çekilen zincirlerle sınırlandırılan aile mezarlığının ortasında bulunan mezar taşı üzerine büyükçe bir haç işlenmiştir.

Şişli Ermeni-Katolik Mezarlığı'nda yatmakta olan Ohannes Sakızyan, Ermeni asıllı bir Osmanlı paşasıdır. 1836'da Ohannesburg'da doğduğu ve Sultan II. Abdülhamid devrinde Hazine-i Hassa Nazırlığı (Maliye bakanlığı) yaptığı bilinmektedir.

Aile mezarlığı olarak tasarlanmış mezarlıkta yan yana dört mezar bulunmaktadır. Dört adet mermer sütun arasına çekilen zincirlerle sınırlandırılan aile mezarlığının ortasında bulunan mezar taşı üzerine büyükçe bir haç işareti işlenmiştir. Mezar taşı üzerindeki süslemeler çok ustaca işlenmiş olup, büyük haç motifinin üst kısmında girift şekilde işlenmiş zencerek adı verilen birbirinin altından ve üstünden geçen çizgilerden oluşan geometrik motifler yer almaktadır. Haç motifinin alt tarafında ise üzeri dairevi şekilde birbirine geçmiş motiflerin işlendiği bir kabara bulunmaktadır. Kabaranın etrafında Rumi motifleri hatırlatan motiflerle oluşturulmuş yarı simetrik kare bir kompozisyon yer alır.

▲ *Ohannes Sakızyan*

Baş taşının en üst silmesi ile kabaranın altında Ermenice yazılar bulunur. Bu yazılarda 1903 ve 1902 tarihleri okunmaktadır. Nefis bir işçiliğe sahip mezar taşı günümüzde gayet iyi durumdadır.

Ohannes Sakızyan'ın mezarının baş taşı

SA'İD ÜNSİ EFENDİ MEZAR TAŞI

(1903)

~

61 yaşında vefat eden Sa'id Ünsi Efendi'nin hayatı hakkındaki detaylı bilgi için kütüphanelere müracaat edilmesi gerektiği parantez içinde yazılmıştır.

Fatih Camii haziresinde bulunan Sa'id Ünsi Efendi'ye ait mezar taşı kitabesi, estetik yönden çok iyi bir kitabe olmamasına rağmen taşın üzerinde yer alan ifade açısından oldukça dikkat çekicidir. 20. yüzyıl başına ait mezar, baş ve ayak taşından oluşmaktadır. Baş taşı üzerinde sarık şeklinde bir serpuş bulunmaktadır. Ayak taşı ise vazodan çıkan çiçek motifleriyle süslüdür.

61 yaşında vefat eden Sa'id Ünsi Efendi'nin hac farizasını yerine getirmiş, Meclis-i Maarif azasından biri olduğu ve Azerbaycan'da bir yer olan Şemahi-Şirvan'da doğduğu hakkındaki bilginin yanında, teferruatlı malumat için kütüphanelere müracaat edilmesi gerektiği bilgisi parantez içinde yazılmıştır.

Taşın cinsinden kaynaklanan ve karıncalanma olarak bilinen tahribata maruz kalan taşın üzerindeki harfler siyah renkle boyanmıştır. Sekiz satır halinde ve celî ta'lik hatla yazılan kitabenin okunuşu şöyledir:

"El-Fatiha
Meclis-i maârif a'zâsından
El-Hâc Sa'id Ünsî
Mevlidi: Şemâhî-Şirvân
Vefâtı: 1320 (M. 1903) Tevellüdü 1258 (M. 1842)
(Terceme-i hâli kütübhânelerde)
Girifte dîn-i peyenber zi-râh-ı sıdk u yakîn
Gülî zi gülbün Ünsî semî Sa'deddîn"

Kitabenin son iki satırı Farsça olarak yazılmıştır ve okunuşu şöyledir:

"Sıdk ve yakîn yolunda Hazreti Peygamber'in dininin tutkunu
Gül fidanından bir gül, ismi Ünsî Sa'deddin"

Fatih haziresinde Said Ünsi Efendi'nin mezarı

72

MEHMED SADEDDİN EFENDİ MEZAR TAŞI

(1904)

~

Göztepe Şahkulu Dergâhı haziresinde bulunan mezar taşı, teslim taşı ve Bektaşi serpuşuyla dikkat çekmektedir. Teslim taşı baş taşının boynuna bir iple asılmış şekilde resmedilmiştir. Teslim taşının sağ tarafına "Yâ Hû" ibaresi yazılmıştır.

On iki terkli Bektaşi serpuşu ve teslim taşıyla tipik bir Bektaşi mezarının kitabesi mail olarak celî ta'lik hatla altı satır olarak yazılmıştır.

▶ *Mehmed Sa'deddin Efendi'nin mezar taşı*

Mezar taşı kitabesi, taş üzerine mail bir şekilde celî ta'lik hatla altı satır olarak yazılmıştır. Mermere mahkûk kitabenin satır aralarını çizgiler bölmektedir. On iki terkli Bektaşi serpuşu ve teslim taşıyla tipik bir Bektaşi mezarıdır. Kitabesinin okunuşu şöyledir:

"Ya Hû
Evkâf-ı Hümâyûn Nezâret-i
Celîlesi Masârifât Kalemi
Hulefâsından ve Perîşân Baba
Bendelerinden Mehmed Sa'deddîn
Efendi rûhuna Fâtiha
Sene fî 4 Haziran 1321 (m. 1903)
Sene 1322 (m. 1904)"

Mermere kabartma olarak işlenen yazılar vasat bir ta'lik hatla yazılmış olup, hattat imzası yoktur. Mezarın altı toprağa gömüldüğü için tarihin bir kısmı okunamamıştır.

73

MÜŞİR MEHMED ŞAKİR PAŞA MEZAR TAŞI

(1904)

~

Fatih Camii haziresinde, Gazi Osman Paşa Türbesi'ne bitişik metal şebeke içinde bulunan sandukalı lahit mezar, mermer işçiliğinin en güzel örneklerinden biridir. Baş taşı püsküllü Hamidi fesli üstüvani gövdeli taşa sarılmış hissi veren kumaş parçasının üzerinde beş satırdan oluşan kitabe yer alır. Mermer öyle ustalıkla işlenmiştir ki kumaşın kıvrımları hissedilir. Mezar taşı kitabesi beş satır halinde, celî sülüs hatla kabartma olarak yazılmıştır. Kitabede hattat imzası yoktur. Kitabenin okunuşu şu şekildedir:

İtalyan mimar d'Aranco tarafından tasarlanan mezarın suluboya eskizlerinde metal şebekenin tepesinde görülen hilal şeklindeki alem kısmı günümüzde yoktur.

"Hüve'l-Bâkî
Ma'iyyet-i seniyye-i mülûkâne erkân-ı harbiye müşîri
Merhûm Mehmed Şâkir Paşa'nın
Hâb-gâhıdır Mevlâ rahmet eyleye
Sene 1322 (m. 1904)"

Kitabenin harfleri ve yazı zemini mermer rengindedir ve zamanın tahribatı neticesinde silinmeye yüz tutmuştur. Ayak taşı da üstüvani olup, kaide kısmı ve tepe kısmına yakın yerde süsleme örnekleri mevcuttur. Baş ve ayak taşlarının oturduğu kaideler lale motifleriyle bezenmiştir. Sandukalı lahit mezarın yanları ve üstünde de zencerek adı verilen geometrik süsleme motifleriyle Batı tesirli Rumi motiflerinden oluşan kompozisyonlar işlenmiştir.

▲ *İtalyan mimar D'aranco tarafından tasarlanan mezarın suluboya eskizi*

İtalyan mimar d'Aranco tarafından tasarlanan mezarın suluboya eskizlerinde metal şebekenin tepesinde görülen hilal şeklinde tamamlanan alem kısmı günümüzde yerinde yoktur.

Müşir Mehmed Şakir Paşa'nın mezarı

ŞEHABEDDİN BEY-NAZİRE HANIM MEZAR TAŞI

(1905)

~

Piyerloti'ye çıkarken yolun sol tarafındaki mezarlıkta bulunan mezar, oldukça hazin bir hadisenin hatırlanmasına vesiledir. İki kardeşe ait mezar taşı kitabeleri ortak tasarlanmıştır. Ayak taşı da ortaktır. Yekpare mermer üzerine gömülmüş hissi veren kabartma şeklindeki mezar taşlarının başlıklarında fes ve çiçekler kullanılmıştır. Kitabe ise mail şekilde erkeğin taşında aşağıya doğru, kızın taşında yukarıya doğru yazılmıştır.

Şehabeddin Bey ve Nazire Hanım'ın mezarı

▼

Ortak yazılan "Ah Mine'l-mevt" ibaresinin sağ ve solunda yer alan kitabeler şu şekildedir:

Piyerloti'ye çıkarken yolun sol tarafındaki mezarlıkta bulunan mezar taşı kitabesi oldukça hazin bir hadiseyi aktarır.

Erkeğin kitabesi:

"Ey zâir, şu nazargâh-ı ibret beşere
ma'ruz olan sengpârenin zîrinde
medfun iki karındâşlar henüz âvân-ı şebâbetlerinde
iken nesîm-i ecel ile zinde-i hazan olmuş
iki tıfl-ı nâzenindir ki çâğ-ı lâtif
hayatları vâsıl-ı sinn-i buluğ olmadan
sille-i takdir-i ecel onları âguş-ı mâderâneden
ayırmış ve dil-i eşfak-ı pederâneye gayr-ı kābil-i devâ yâreler
açarak şu akıbet mezar ye's-i kararda
mesture-i türâb ve vedia-i rahmeti'l-meab
kılmışdır. Ey zaîrin-i mahkûmu'l-mevt
bir gün gelecek ki sizlerin de âkıbet ömrünüz"

Kızın kitabesi:

"Bizlerin ki gibi reside-i had zevâl
vücud-ı zi kadriniz şu gördüğünüz türâb ile
hemhâl rûh-i kudsiyyeniz bizler gibi bir Fâtiha-i Şerife'ye
muhtâc olacağından şimdi bizler içün
ebdâl buyurulacak hayrü'l-Fâtiha âkıbet
kendiniz içün dahi bir vesile-i isticlâb-ı rahmet-i rahmedir
ikinci firka-i hümâyun inşaat komisyonu
memur binbaşı rif'atlu Feyzi Bey'in
mahdûmu Şehabeddin Bey'le
kerimeleri Nazire Hanım'ın ruhlarıyçün
el-Fatiha
Sene Fi 10 Muharrem 1323 (m. 17 Mart 1905)"

Kardeşlerden erkek olan 9, kız kardeş 11 yaşında vefat etmiştir. Celî ta'lik hatla yazılan kitabenin harfleri kabartma olup, zeminler ve harfler mermer rengindedir.

EL-HAC AHMED EFENDİ MEZAR TAŞI

(1907)

~

Mevlevi tarikatını simgeleyen destarsız dal sikke ve mezar taşı kitabesi mermer bir kaidenin içinde tasarlanmıştır. Üstüvani taşın üzerindeki kitabe, celî ta'lik yazıyla on satır olarak yazılmıştır.

Üsküdar Şeyh Muṡtafa Devati Camii haziresinde bulunan mezar taşı Mevlevi tarikatı mensuplarından Ahmed Efendi'ye aittir. Mezar baş taşı tasarımıyla dikkat çekicidir. Zira Mevlevi tarikatını simgeleyen deṡtarsız dal sikke ve mezar taşı kitabesi mermer bir kaidenin içinde tasarlanmıştır. Üṡtüvani şekli verilen taşın üzerine kitabe, celî ta'lik hatla on satır olarak yazılmıştır. Yazı aralarından geçen çizgiler kompozisyonu tamamlayan öğelerden biridir. Sikke kabartmasının sağ ve sol üṡt tarafında asma kandil motifleri yer almaktadır. Sikke kabartmasının hemen üṡtünde ise iṡtiridye motifi bulunmaktadır. Ayak taşı üzerinde bulunan gül motifi kabartmalar çok başarılı değildir.

Mezar taşı kitabesinin okunuşu şöyledir:

"Hüve'l-Bâki
Sekizinci dâire-i belediyye
Başmühendisliğinden
Mütekâid iken âzim-i
Âlem-i lâhût olan
Tarîkat-ı aliyye-i Mevleviyye muhibbânından
El-Hâc Ahmed Efendi'nin
Rûhiçün ve kâffe-i ehl-i îmân
Ervâhiçün Fâtiha
Tevellüdü sene 1252 (m. 1836) Vefâtı sene 1325
(m.1907-08)"

Mezar taşı kitabesinin bazı harfleri maalesef kırıktır. Mezarın etrafını sonradan yapıldığı tahmin edilen yeşil renge boyalı metal bir korkuluk çevrelemektedir. Mezar kitabesi ve süslemeler mermer rengindedir.

▲

El-Hac Ahmed Efendi'nin mezar taşı kitabesi

METROPOLİT HALDİAS KRİLLOS MEZAR TAŞI

(1908)

~

Şişli Rum-Ortodoks Mezarlığı'nda bulunan mezar, bir aile mezarlığıdır. Mezarda yatanlardan biri de metropolittir. Metropolit, Hıristiyan dininde bir bölgenin bütün kiliselerinden sorumlu piskopos veya başpiskopos demektir.

▲ *Metropolit Haldias Krillos'un mezarı*

Mezarın üzerinde yatay vaziyette mermer üzerine büyük bir haç kabartma olarak işlenmiştir. Haçın kollarının alt bölümüne *"Haldias Krillos 1908-1991"* ibareleri yazılmıştır.

Mezarda ortadaki daha büyük olmak üzere üç baş taşı bulunur. Bunlardan ortadaki mermer üzerine yine bir haç motifi işlenmiştir. Kabartma olan haç motifi orta kısımda bulunan metal bir haç mermer üzerine gömülmüştür.

Basamaklanmış mermer kaide üzerinde mermerden yapılmış despot başlığı göze çarpar. Başlığın üzerinde metalden bir haç motifi bulunur.

Sağ taraftaki mermer üzerinde metropolitin resmi ve yine bir haç motifi bulunur. Haç motifinin üzerindeki Yunan harfleriyle yazılmış yazıda *"İKOS AKSİOTU"* ibaresi mezarın Aksiotu ailesine aidiyetini göstermektedir. Sol taraftaki baş taşı üzerinde ise *"Georgios Aksiotis 1870-1939"* ile *"Marta Aksiotis-1925"* isimleriyle doğum ve ölüm tarihleri yer almaktadır.

Başlıklar ile mezar üzerindeki haç arasında basamaklanmış mermer kaide üzerinde mermerden yapılmış despot başlığı göze çarpar. Başlığın üzerinde metalden bir haç motifi vardır.

Mezarı tasarlayan mimarın imzası da mezarın sol arka kaidesi üzerinde yazılıdır. Burada "Y. İeromninon" ismi okunmaktadır.

77

SEYYİD AHMED EFENDİ MEZAR TAŞI

(1908)

~

Mezarın dikkat çeken yönü, kitabenin hemen üstünde bulunan çiçek motiflerinin zenginliğidir.

Eyüp Ebussuud haziresinde bulunan mezar tüccardan Ahmed Efendi'ye aittir. Mezarın dikkat çeken yönü, kitabenin hemen üstünde bulunan çiçek motiflerinin zenginliğidir. Hamidi fesli serpuşun boyun kısmının altında yer alan süslemeler, natüralist çiçeklerle simetrik olarak oluşturulmuş ve oluşturulan bu kompozisyon taşa başarılı bir şekilde uygulanmıştır. Çiçekli süslemesiyle kadın mezarlarını hatırlatan şahidenin hattatı belli değildir. Çiçekli süslemenin altında mermere hakkedilmiş altı satırdan oluşan celî sülüs hatla yazılmış mezar taşı kitabesi bulunur. Yazısı güzel olmayan taşın kitabesinde şu ifadeler yer almaktadır:

"Hüve'l-Bâki
Galata'da cam
Ve âyine tüccârından
Merhûm es-Seyyid
Ahmed Efendi'nin rûhuna
Fâtiha 1 Şa'bân sene 1326 fî 15 Ağustos sene 1324 (m. 29 Ağustos 1908)
Yevm-i Cum'a"

◂ *Seyyid Ahmed Efendi'nin Hamidî fesli, çiçeklerle süslü mezar taşı kitabesi*

Ayak taşı olmayan mezar, pehleli mezardır. Çiçek süslemeleri ve yazılar kabartma olarak mermere işlenmiştir, mermer renklidir. Mezarın üzerinde mezar boyunca uzanan piramidal taş kütlesi bulunmaktadır.

MÜŞİR GAZİ EDHEM PAŞA MEZAR TAŞI

(1909)

~

Son Osmanlı müşirlerinden Gazi İbrahim Edhem Paşa, Mısır'da vefat etmiştir. İstanbul'a getirilen naaşı Eyüp Camii hazîresine defnedilmiştir.

Son Osmanlı müşirlerinden Gazi İbrahim Edhem Paşa, gümrük memurlarından Muſtafa Ferhad Efendi'nin oğludur. İſtanbul'da doğmuştur. 1863'te Harbiye'den "mülâzım-i sâni" yani teğmen olarak mezun olmuş, 1876 Rus Harbi'ne "kaymakam" yani yarbay olarak iştirak etmiştir. Askerliğin muhtelif kademelerinde yükselerek 1895'te "müşir" diğer bir ifadeyle mareşal olmuştur. 1896'da Alasonya kumandanı ve bütün Yunan hudut komutanı olmuş ve muharebeyi kazanarak "Gazi" unvanını almıştır.

▲

Müşir Gazi Edhem Paşa'nın mezarı

1908'de Meşrutiyet ilan edilince Gazi Edhem Paşa âyân azalığına seçilmiştir. 1909'daki 31 Mart İhtilali sırasında hasta olduğu halde Harbiye nazırı olmuştur. Bir süre sonra Mısır'a giden ve orada vefat eden paşanın naaşı İstanbul'a getirilmiş ve Eyüp Camii haziresine defnedilmiştir.

▲ *Türk-Yunan Savaşı'ndan bir kare*

Mezar taşının baş kısmında metalden yapılmış bir alem yer almaktadır. Mezar taşı kitabesi kûfi hatla yazılmış dairevi "Hüve'l-Bâki" ibaresiyle başlar. Aşağıya doğru genişleyen mermer kaidenin üzerinde beş satır halinde celî sülüs hatla yazılmış şu ifadeler okunmaktadır:

"Devlet-i Osmâniyye ile Yunan Hükûmeti
Beyninde 1313 (m.1895) târîhinde vukû bulan
Muhârebe-i mücâhidânede asâkir-i muzaffere-i
İslâmiyye Başkumandanı Müşîr Gâzi Edhem Paşa
merhûmun medfen-i
Münevveridir. Fî 4 Zilhicce Sene 1327 (m. 17 Aralık 1909)"

Mermere hakkedilen yazıların dışında herhangi bir süsleme unsuru yoktur. Yazı zemini mermer olarak bırakılmış, harfleri ise altın varakla kaplanmıştır.

79

FATMA ŞEREF HANIM MEZAR TAŞI

(1910)

~

Süleymaniye Camii haziresinde, caminin mihrap kısmı önünde, hazireye girişte soldaki ağacın altında bulunan mezar İstanbul'daki mezarlar içinde tasarımıyla en dikkat çeken mezarlardan biridir. Yüksek bir kaide üzerine altı sütunun taşıdığı ve sanduka kısmını fiyonklarla birbirine bağlanmış çiçeklerin sardığı mermer lahtin üstünde üstüvani baş taşı ve ayak taşı şahideleri bulunmaktadır. Baş taşı silindir gövdenin üstüne örtülmüş bir duvak şeklindedir. Kumaş kıvrımları o kadar ustaca işlenmişdir ki, kumaş taşın üstüne örtülmüş ve sonra taşlaşmış gibidir. Bunun hemen altında ise, üç adet gülle fiyonk yapılmış, iki ucu aşağıya sarkan kalın bir kurdela göze çarpar.

▲ *Fatma Şeref Hanım'ın mezarı*

Süleymaniye Camii haziresinde, girişte soldaki ağacın altında bulunan mezar İstanbul'daki mezarlar içinde tasarımıyla en dikkat çeken mezarlardan biridir.

Ayak taşı üzerinde bulunan kırılmış gül dalı ise gül fidanı gibi genç yaşta vefat eden Fatma Şeref Hanım'a işaret etmektedir.

Mezar taşı kitabesinin okunuşu şöyledir:

"Ey zâir şu taşın altında yatan genc
Kızların en pâk ve afîf ve en zekî
Ve en güzellerinden biri idi heyhât
Ecel onu on yedi yaşında şu gördüğün
Toprağa serdi yegâne emeli olduğu
Âilesinin kalbgâhından mevtin
Henüz pek tâze iken kopardığı bu nâdîde
Çiçek nûr-ı zekâ ve ma'lûmât ile mümtâz
Hüsn-i ahlâk ve nâmûsa mücessem misâl
İdi rûh-ı ma'sûmu için Fâtiha
Fî 13 Kânun-ı Sânî sene 1325 (m. 26 Ocak 1910)
Yevm-i Çarşamba

Ekâbir-i vüzerâdan merhûm Abdullah
Gâlib Paşa hafîdesi ve Selânik
(Damga Kaleminden?) Mustafa Fevzi Bey'in
On yedi yaşında iken vefât eden
Kerîmesi... Fatma Şeref Hanım'ın kabridir"

▲ Fatma Şeref Hanım'a ait mezarın baş taşı

Mezarın ayak taşı tarafındaki kaide üzerinde mezar ustasının adı yazılıdır. P. C. Pascalidi adlı Rum bir usta tarafından yapılan mezar, usta imzası taşıması açısından da önem arz etmektedir.

80

AHMED MİDHAT EFENDİ MEZAR TAŞI

(1912)

~

Sultan II. Abdülhamid zamanında yazdığı romanlar ve yazılarla ün kazanan devrinin büyük gazetecilerinden biri olan Ahmed Midhat Efendi'nin kabri Fatih Camii haziresindedir.

1844'te İstanbul'da doğmuştur. Babasını küçükken kaybettiği için çocukluğu yoksulluk içinde geçmiştir. Bir taraftan gazete ve kitaplar neşrederken bir yandan da memuriyetlerde bulunmuş, devlet kademelerinde görevler almıştır. Gazetecilik şöhretini en çok yayan 1878'de çıkan *Tercüman-ı Hakikat*'tir. Bir kısmı tercüme, yüz elliye yakın eser yazmıştır. Eserlerinden bazıları şunlardır: *Felatun Bey'le Rakım Efendi*, *Paris'te Bir Türk*, *Yeryüzünde Bir Melek*, *Gürcü Kızı*, *Gönüllü*, *Jön Türk*.

1908'de Darülfünun tarih muallimliğine tayin edilmiştir. Darüşşafaka'da fahri muallim olarak hizmet ederken geçirdiği kalp krizi sonucu 28 Aralık 1912'de vefat etmiştir. Mezar taşı kitabesi Şaire Nigâr Hanım tarafından kaleme alınmış, Reisülhattatin Hacı Kâmil Akdik tarafından yazılmıştır.

Ahmed Midhat Efendi'nin mezar taşı kitabesi Şaire Nigâr Hanım tarafından kaleme alınmış, Reisülhattatin Hacı Kamil Akdik tarafından yazılmıştır.

▲ *Ahmed Midhat Efendi*

Baş taşı kitabesinin okunuşu şöyledir:

"Zamanında ta'mîm-i
Maârife hidemât-ı celîlesi sebk eden
Muharrirîn-i Osmâniyye'den Ahmed Midhat Efendi'nin
Rûhiçün Fâtiha Fî 18 Muharremü'l-harâm sene 1331
Kâmil"

Kabrin yan tarafına yazılan tarih beyti ise şöyledir:

"Gayretindir sevdiren fazl u ulûmu ümmete
Verzişindir anladan sevdâ-yı sa'yı millete"

Ahmed Midhat Efendi'nin de medfun bulunduğu Fatih haziresi

Kitabe, celî sülüs hatla dört satır halinde nefis bir şekilde yazılmıştır. Kitabenin üstünde Rumi motiflerden müteşekkil kompozisyon yer alır. Daha kısa olan ayak taşı üzerinde de yine simetrik Rumi süsleme vardır. Tarih beytinin arasında zemine oyulmuş "Nigâr" ismi okunmaktadır. Mezar mermerden yapılmış olup günümüzde iyi durumdadır.

81

HATTAT SAMİ EFENDİ MEZAR TAŞI

1912

~

Hattat Sami Efendi, bütün yazı çeşitlerinde ustalıkla eserler vermiş, kudretinin en yüksek derecesini bilhassa celî sülüs ve celî ta'lik hatlarda göstermiştir.

Türk hat sanatının en önemli isimlerinden biri sayılan Sami Efendi'nin mezarı Fatih Camii haziresindedir. 13 Mart 1838'de doğan İsmail Hakkı Efendi ilk yazı derslerini mahalle mektebinde almıştır. Maliye Kalemi'nde çalışmaya başlayınca kalem efendilerinin mahlas almaları usulden olduğu için "Sami" mahlasını almış, Maliye Kalemi'nde, Divan-ı Hümayun ve Nişan Kalemi kâtipliklerinde bulunmuş ve buradan emekli olmuştur.

Sami Efendi, bütün yazı çeşitlerinde ustalıkla eserler vermiş, kudretinin en yüksek derecesini bilhassa celî sülüs ve celî ta'lik hatlarda göstermiştir. Tuğra çekmekte de mahir olan Sami Efendi, sülüs yazının okunmasına olduğu kadar süslenmesine de yardımcı olan hareke ve tezyini işaretlerini mükemmel hale getirmiştir. Uzun yıllar Fatih semtinde oturan Sami Efendi, 2 Temmuz 1912'de vefatında kızı ve eşinin de medfun bulunduğu Fatih Camii haziresine defnedilmiştir.

Mezar taşı kitabesi şöyledir:

"Hüve'l-Hallâku'l-Bâkî
Fezâil-i ahlâkı ve hutût-ı mütenevvi'ada olan
Kemâl-i ehliyet ve iktidârı sebebiyle memdûh
Ve makbûl-i enâm olarak vedâ'-ı âlem-i fânî
Eden mütehayyizân-ı ricâl-i Devlet-i Aliyye'den sâbıkan
Nişân-ı Hümâyûn Kalemi Mümeyyizi üstâd-ı muhterem
Merhûm ve mağfûrun leh edîb-i bî-müdânî
Mevlânâ İsmâil Hakkı Sâmi Efendi'nin rûh-ı
Şerîfine el-Fâtiha
1330 (m. 1912)
Ketebehu tilmîzi'l-merhûm el-Hâc Kâmil"

▲ *Hattat Sami Efendi*

▲
Hattat Sami Efendi'nin mezarı

Hamidi fesli mezar taşı kitabesi, talebelerinden Hacı Kamil Akdik tarafından dokuz satır halinde celî sülüs hatla yazılmış bir şaheserdir. Kamil Efendi imzasını da "merhumun talebesi el-Hâc Kâmil" şeklinde atmıştır. Ayak taşı üzerindeki Rumi motifli süslemeler de Hattat Tuğrakeş İsmail Hakkı Altunbezer tarafından çizilmiştir. Usta bir işçilikle işlenmiş mermer kitabe ve süslemeler taş işçiliği açısından da kıymetli örnekler olarak önemlidir. Günümüzde kitabe ve süslemelerin zemini nefti yeşil renkle boyalı, kabartma harfleri altın varaklıdır.

ALİ NUSRET BEY MEZAR TAŞI

(1913)

~

Mezar taşı kitabelerinde harfler genellikle kabartma olarak yazılırken, burada farklıdır. Ali Nusret Bey'in mezar taşında kitabe, harflerin oyulması suretiyle yazılmıştır.

Fatih Camii haziresinde medfun Ali Nusret Bey'in üstüvani, yani silindir şeklindeki baş taşı üzerine işlenmiş bulunan hokka ve içinde yazı yazmak amacıyla kullanılan bir tüy ve arkada açılmış bir kitap yer almaktadır. Hokkanın altından aşağıya doğru sarkan ucu kıvrılmış kâğıdın üst tarafında Ankebût Suresi'nin 29. ayeti olan "Küllü nefsin zâikatü'l-mevt - Her nefis ölümü tadacaktır" ibaresi ta'lik hatla oyma olarak işlenmiştir. Kâğıdın orta kısmında imza şeklinde "Ali Nusret" ismi okunmaktadır.

▲ *Ali Nusret Bey*

Plevne şehitlerinden Binbaşı Osman Şehabeddin Efendi'nin oğlu Ali Nusret Bey, Vefa Lisesi dil ve edebiyat öğretmeniydi. Mezarın baş ve ayak taşı üzerinde bulunan on yedi satırlık kitabe mermer üzerine kazıma tekniğiyle yazılmıştır. Mezar taşı kitabelerinde genellikle harfler kabartma olarak yazılırken, burada farklıdır. Ali Nusret Bey'in mezar taşında kitabe, harflerin oyulması suretiyle yazılmıştır.

▶ *Ali Nusret Bey'in mezarı*

Ölçüleri birbirinin aynı olan baş ve ayak taşı üzerinde aşağıdaki kitabe okunmaktadır:

▲

Ali Nusret Bey'in mezarına ait baş ve ayak taşları

"Küllü nefsin zâikatü'l-mevt
Ali Nusret

Hayât-ı sa'yine verdin nihâyet ey Nusret
Değil lisân ü edeb, ağlasın bütün millet
Bütün hayât-ı fesâhat, bütün hayât-ı kalem
Seng-i mezârının üstünde garka-i mâtem
Sen âh u girye-i fânî-i fâniyândan uzak
Meşâkk-ı ömrünü andıkca şâd-kâm olarak
O nağme-pâş u mutantan, nezîh ü pür-leme'ân
Lisânın ve hayâlâtının nazîri olan
Riyâz-ı âlem-i ukbâda rûh-ı hassâsın
Mehâsin-i ebediyyeyle haşr olub yaşasın

Plevne şühedâsından binbaşı
Osmân Şehâbeddîn Efendi'nin
Mahdûmu askerî kâimmakâmlığından
Müteka'id Dârü'l-mu'allimîn ve Vefâ
İ'dâdîsi lisân ve edebiyât mu'allimi
Ali Nusret Bey'in rûhuna
El-Fâtiha
Fî 11 Mart sene 1288 ve fî Kânun-i Sânî sene 1328
(m. 13 Şubat 1913)"

83

MAHMUD ŞEVKET PAŞA MEZAR TAŞI

(1913)

~

Hareket Ordusu komutanı, Harbiye nazırı ve sadrazam sıfatlarıyla Meşrutiyet devrinin bu ünlü simasının mezarı Abide-i Hürriyet'in yakınında bulunan açık türbe içindedir. Türbede, yaveri Hilmi Bey ve uşağı İbrahim Efendi ile beraber yatmakta olan Mahmud Şevket Paşa'nın mermerden yapılmış sanduka şeklindeki mezarı, yazı ve süslemeleriyle bir sanat şaheseridir.

▲

Hareket Ordusu askerleri Yıldız Sarayı'nda

11 Haziran 1913'te bir suikast sonucu öldürülen Mahmud Şevket Paşa, 31 Mart Olayları'nda 3. Ordu komutanı olarak İstanbul'daki ayaklanmayı bastırdığı için halk arasında

▲
Mahmud Şevket Paşa'nın sanduka şeklindeki mezarı

hürriyet kahramanı olarak tanınmış, Abide-i Hürriyet yakınında yapılacak bir türbeye gömülmesi hükümetçe kararlaştırılmış, ölümünden hemen sonra Evkaf Nezareti Başmimarı Kemaleddin Bey tarafından tasarlanan türbenin yapımı aynı yılın sonlarına doğru tamamlanmıştır.

Arapça, Farsça, Fransızca ve Almanca bilen Mahmud Şevket Paşa, mesleğine ait eserler bırakmıştır. Ayrıca, *Osmanlı Teşkilat ve Kıyafet-i Askeriyyesi* adlı üç ciltlik bir kitabı vardır.

Sanduka üzerinde bulunan yazılar ve baş taşında bulunan mezar taşı kitabesi, son Osmanlı tuğrakeşi, hattat ve aynı zamanda müzehhip olan İsmail Hakkı Altunbezer tarafından yazılmıştır. Süsleme motifleri de muhtemelen İsmail Hakkı Bey tarafından çizilmiş olmalıdır.

Açık türbesinde, yaveri Hilmi Bey ve uşağı İbrahim Efendi ile beraber yatmakta olan Mahmud Şevket Paşa'nın mermerden yapılmış sanduka şeklindeki mezarı, yazı ve süslemeleriyle bir sanat şaheseridir.

Üç yanından merdivenlerle çıkılan türbenin ortasında yer alan mermer sandukanın sağ tarafında celî sülüs hatla "Bil ki Allah'tan başka Tanrı yoktur ve Muhammed onun resuludür" mealindeki "Fa'lem ennehu lâ ilâhe illallah Muhammed resûlullah" ibaresi yazılıdır. Bu ibarenin üst tarafında "Kâlallahu Te'âlâ fî kitâbihi'l-kerîm", alt tarafında, "İnnehu hüve'l-gafûru'r-rahîm" ibareleri yer alır. Sandukanın sağ tarafının eteğinde ise "İnnallahe yağfiru'z-zünûbe cemîâ" ayeti yazılıdır.

Lahtin sol tarafında meyilli yüzeyde, celî sülüs hatla yine "Fa'lem ennehu lâ ilâhe illallah Muhammed(un) resulullah" ibaresi okunmaktadır. Bu ibarenin üst tarafında "Sadaka Habîbullah", alt tarafında, "Kâle'n-nebiyyü aleyhi's-selâm" ibareleri yazılıdır. Sandukanın sol tarafının eteğinde ise "Men kutile zulmen fekad şehide" ifadesi yer almaktadır.

Mezarın baş tarafında celî sülüs yazıyla şu ifadeler okunmaktadır:

"Hüve'l-Bâki
Mahmûd Şevket Paşa
Velâdeti 1275 (m. 1857) El-Fâtiha Şehâdeti 1331
(m. 1913) Ketebehu Hakkı"

Mezarın ayakucunda simetrik olarak tasarlanmış Rumi motifli bir kompozisyon yer almaktadır. Mermer işçiliği son derece güzel olan mezar oldukça bakımlıdır.

Mahmud Şevket Paşa'nın Abide-i Hürriyet yakınında bulunan açık türbesi

ŞEHİT DENİZCİ HAYDAR EFENDİ MEZAR TAŞI

(1916)

~

Kitabelerin yazımında fazla tercih edilmeyen celî rik'a hatla yazılan kısımda Mehmed Haydar Efendi'nin Sulh vapurunda Fransız astsubay tarafından silahla vurularak şehit edildiği yazılıdır.

▲

Şehit Denizci Haydar Efendi'nin mezar taşı kitabesi

Eyüb Sultan haziresinde bulunan Mehmed Haydar Efendi'ye ait mezar taşı elim bir olayı bize haber vermektedir. Mezarın baş taşı üzerinde yer alan mermer kitabenin etrafı betonla kaplanmıştır. Baş taşının üzerinde bir asker başlığı kabartması bulunmaktadır. Başlığın üzerinde yer alan çıpadan mezarda yatanın deniz askeri olduğu anlaşılan taş üzerinde, yaprak motifleri arasında bulunan çıpanın üst kısmında ayyıldız motifi vardır. Bu başlık Osmanlı tarihinde bir mezar taşına tatbik edilmiş en son denizci başlığıdır. Başlık kabartmasının altında yer alan 11 satırlık kitabenin dokuz satırı celî sülüs, son iki satırı ise celî rik'a hatla yazılmıştır.

Mezar taşı kitabesinin sekiz satırı şiir diliyle yazılmıştır. Kitabelerin yazımında fazla tercih edilmeyen celî rik'a hatla yazılan kısımda ise Mehmed Haydar Efendi'nin 1918 yılında Sulh Vapuru'nda Fransız astsubay tarafından silahla vurularak şehit edildiği ve kendisinin de güverte yüzbaşısı olduğu bilgisi yer almaktadır.

Celî sülüs yazı çeşidiyle yazılan kitabenin okunuşu şöyledir:

"Zâir aldanma seni etse de âlem tes'îd
Bu tebeddülgâhda sa'd ebeden emr-i ba'îd
Ne kadar muktehim-i zûr u felâket olsan
Âkıbet sâye-i a'dâmı urur baht-ı a'nîd
Ben de ezvâk-ı şebâbetle tefâhürde iken
Urdu damga-yı ecel alnıma bir dest-i ra'îd
Târîh-i tâm dedi fevtime Hayri garîb
Âh amân Haydarı da dâne-i kasd etdi şehîd

Sulh Vapuru'nda Fransız Gedikli'si tarafından kurşunla şehîd edilen Bahriye Güverte Yüzbaşılarından Mehmed Haydar Efendi

10 Receb Sene 1337(m.1918) el-Fâtiha Sene 1338 10 Nisan Sene 1335 (m. 1916)"

85

GAZİ AHMED MUHTAR PAŞA MEZAR TAŞI

(1918)

~

Gazi Ahmed Muhtar Paşa, "93 Harbi"nin Kafkas Cephesi kahramanı ve Sultan V. Mehmed Reşad'ın saltanatında, 22 Temmuz-29 Ekim 1912 tarihleri arasında üç ay sekiz gün sadrazamlık yapmış bir Osmanlı askeri ve devlet adamıdır. 1877-1878 Osmanlı-Rus Savaşı'nda büyük yararlılıklar göstermiştir. Bu savaşta gösterdiği fedakârlıklardan dolayı Sultan II. Abdülhamid tarafından kendisine altın kılıç ve "Gazi" unvanı verilmiştir. Uluslararası saat sistemiyle, miladi takvim sisteminin kullanılmasını ilk defa o ileri sürmüştür. Ayrıca, Darüşşafaka Lisesi'nin kurucuları arasındadır.

Gazi Ahmed Muhtar Paşa'nın baş taşı üzerindeki kitabe metni iki farklı yazı çeşidiyle yazılmıştır. Ayak taşı üzerinde herhangi bir yazı ve süsleme unsuru yer almaz.

◄ *Gazi Ahmed Muhtar Paşa'ya ait lahit mezar*

Fatih Camii haziresinde Gazi Osman Paşa Türbesi'nin arka tarafında bulunan lahit mezar, üstüvani baş ve ayak taşlarından oluşur. Ayak taşı üzerinde herhangi bir yazı ve süsleme unsuru yer almaz.

▲
Gazi Ahmed Muhtar Paşa

Baş taşı üzerinde ise kitabe metni iki farklı yazı çeşidiyle yazılmıştır. Dendanla sınırlandırılan Besmele ve altındaki Bakara Sûresi'nin 48. ayetinden bir bölümün yazıldığı iki satır celî sülüs hatlıdır. Türkçe yazılan yedi satırlık kitabe metni ise celî ta'lik hatla yazılmıştır. Baş ve ayak taşı şahideleri mukarnaslı süslemeyle son bulur.

Mezar taşı kitabesinin okunuşu şöyledir:

"Bismillahirrahmanirrahim
Vettekû yevmen lâ teczî
Nefsûn an nefsin şey'en.
Bursa'da 1255 sene-i
Hicriyyesinde tevellüd eden
A'yândan Sadr-ı esbâk
Müşîr Gâzi Ahmed Muhtâr Paşa
Bin Halîl İbrâhim bin İbrâhim
Edhem rûhuna rızâen lillah Fâtiha
Fî 19 Rebîülâhire sene 1337 (m. 22 Ocak 1918)
Fî 22 Kânûn-i Sânî 1918
Yevmü's-selâse (üçüncü gün)"

Kaliteli bir işçilikle mermere işlenen yazılarda hattat imzası yoktur. Yazılar varaksızdır.

86

FATİH TÜRBEDARI AHMED AMİŞ EFENDİ MEZAR TAŞI

(1919)

~

Fatih Camii haziresinde medfun bulunan Ahmed Amiş Efendi, "Fatih Türbedarı" olarak da bilinir. 1807'de Tırnova'da doğan Ahmed Amiş Efendi medrese tahsilini memleketinde tamamladı. 1853'te tabur imamı olarak Kırım Harbi'ne katıldı. Yirmi yaşındayken Kuşadalı İbrahim Efendi'nin Tırnova'ya naip olarak gönderdiği Ömer Halveti'ye intisap etti. Kuşadalı'nın vefatından sonra onun makamına geçti. 1877'de Tuna vilayetinin elden çıkması üzerine Tırnova'dan tamamen ayrılarak Fatih türbedarlığını devraldı ve bundan sonra bu adla anılmaya başladı.

◂ *Fatih türbedarı Ahmed Amiş Efendi'nin mezarı*

Tarikat silsilesi, Kuşadalı İbrahim, Bosnalı Mehmed Tevfik, Beypazarlı Ali, Çerkeşiye kolunun kurucusu Muştafa Çerkeşi, Nasuhiye kolunun kurucusu Seyyid Mehmed Nasuhi, Karabaşiye kolunun kurucusu Ali Karabaş-ı Veli vasıtasıyla tarikat piri Şeyh Şaban-ı Veli'ye ulaşır.

Amiş Efendi'nin mezar taşı kitabesi Hattat Ömer Vasfi Efendi tarafından celi sülüs hatla baş taşına yedi, celi ta'lik hatla ayak taşına on dört satır halinde yazılmıştır.

Vefatında yaklaşık 113 yaşındaydı. Cenaze namazını Abdülaziz Mecdi (Tolun) Efendi kıldırdı ve türbedarı olduğu Fatih Camii haziresine defnedildi. Mezar taşı kitabesini Hattat Ömer Vasfi Efendi celî sülüs hatla baş taşına yedi, celî ta'lik hatla ayak taşına on dört satır halinde yazdı. Üśtüvani şeklindeki mezar taşının kitabesi pek güzeldir. Yazı zeminleri mermer renginde bırakılmış, kabartma harfleri altın varaklıdır.

Mezar taşı kitabesinin okunuşu şöyledir:

"Hâmil-i emânat-ı Sübhâniyye
Câmi'-i makâmât-ı insâniyye
Mürebbî-i sâlikân-ı Rahmâniyye
El-Hâc Ahmed Amiş
El-Halvetî eş-Şa'bânî -kuddise
Sırrehû- Hazretleri'nin
Rûh-ı şerîfiçün Fâtiha

Hüve'l-Bâkî
Rûh-ı pâk-i mürşid-i yektâ Cenâb-ı Ahmed'e
Sâye-i arş-ı ilâhîdir mu'allâ-âşiyân
Matla-ı feyz-i velâyetdir o kutbü'l-vâsılîn
Sırr-ı ferdiyyet olurdu vech-i pâkinden ayân
Râh-ı Şa'bân-ı Velî'de ekmel-i devrân olub
Ehl-i hâle kıble-i irfân idi birçok zamân
Âh kim yükseldi lâhût muhît-i vahdete
Oldu envâr-ı tecellî-i bekda bî-nişân
Neşve-bâr oldukca envâr-ı cemâl-i kalbime
Parlıyor pîşimde eşvâk-ı safâ-yı câvidân
Cezbe-i vahdetle Sâmî söyledim târîh-i tâm
Gitti gülzâr-ı cemâle pîr-i efrâd-ı cihân
20 Şa'bân sene 1338 (m. 9 Mayıs 1920)
Ömer Vasfî"

87

SERASKER MEHMED RIZA PAŞA MEZAR TAŞI

(1920)

~

▲ *Serasker Mehmed Rıza Paşa*

Kocamustafapaşa Sünbül Efendi Türbesi içinde bulunan mermer lahit; yazıları, süslemeleri ve mermer işçiliğiyle görülmeye değer bir mezardır.

Sultan II. Abdülhamid devrinde on yedi yıl seraskerlik yapmış Rıza Paşa'nın kabri türbenin yanındaki kubbeli yapının içindedir.

Türbe girişinin sağ tarafında bulunan lahtin üstünde ve gövdesinin üzerinde yazı ve süslemeler mevcuttur. Hamidi fesli bir başlığı olan lahtin üzerini saran hatlarda "*Fa'lem ennehu lâ ilâhe illallah*", "*Muhammedün resûlullah*" ibarelerinin etrafında Haşr Suresi'nin son iki ayeti yazılıdır. Yazılar celî sülüs hatla

Sultan II. Abdülhamid devrinde on yedi yıl seraskerlik yapmış Rıza Paşa'nın kabri Sünbül Efendi Türbesi'nin yanındaki kubbeli yapının içindedir.

◂ *Serasker Mehmed Rıza Paşa'nın mezarı*

Hattat Ömer Vasfi Efendi tarafından yazılmıştır. Mermere kabartma olarak işlenen yazıların zemininde yine kabartma olarak Rumi motiflerden meydana gelmiş kompozisyonlar yer alır. Lahtin gövdesindeki kitabede şu ifadeler okunmaktadır:

"Serasker Mehmed Rızâ Paşa rahimehullah

Velâdeti sene Rûmi 1261 (m. 1845/46)

Mülâzım-ı Sâni 1283 (m. 1867/1868) Karadağ Harbi 1292 (m. 1876/77) Rus Muhârebesi 1293 (m. 1877/78)

Serasker 1307 (m. 1891/92) Yunan Zaferi 1313 (m. 1897/98) İnfisâli 1324 (m. 1908/09)

Vefâtı 1336 (m. 1920)"

SAİD HALİM PAŞA MEZAR TAŞI

(1921)

~

Mehmed Said Halim Paşa, 1913-1917 yılları arasında sadaret makamında bulunmuş, Mütareke'de Malta'ya sürülmüş, serbest bırakılmış, sonra da 6 Aralık 1921'de Roma'da bir Ermeni tarafından düzenlenen suikast sonucunda öldürülmüştür. İstanbul'a getirilen cenazesi 27 Şubat 1922 günü Sultan II. Mahmud Türbesi haziresine defnedilmiştir.

Süslemenin hâkim olduğu sanduka üzerinde Said Halim Paşa'nın ismi baş tarafta küçük bir şekilde yer alır. Bundan başka bilginin bulunmadığı mezar, desenleri ve mermer işçiliğiyle dikkat çeken nefis bir mezar örneğidir.

▲ *Said Halim Paşa*

▶ *Said Halim Paşa'nın mermer mezarı*

Said Halim Paşa'nın mezarı mermerdendir. Üst kısımda bulunan sanduka şeklindeki bölümün üzerine sağda ve solda celî ta'lik hatla *"Bismillahirrahmanirrahim"* ibaresi yazılmıştır. İmza kısmında *"Hamid"* ismi okunmaktadır. Besmelenin her iki tarafında sandukanın üzerine örtülmüş hissini veren üzeri Rumi motiflerle süslü iki adet ince uzun şerit mevcuttur. Sandukanın ön tarafında yine celî ta'lik hatla "(1)866 Saîd Halîm Paşa (1)921" ibaresi yazılıdır.

Mezarın önü ve arkasında Rumi motiflerin işlendiği kompozisyonlar mevcuttur. Sanduka mezar geleneğinin son dönem örneklerinden olan mezar oldukça başarılı bir taş işçiliği sergilemektedir. Günümüze sağlam bir durumda gelmiştir.

Sanduka üzerinde süslemenin egemen olduğu mezarda yatanın isminin baş tarafta küçük bir şekilde yer aldığı bundan başka bilginin bulunamadığı mezar, desenleri ve mermer işçiliğiyle dikkat çekici nefis bir mezar örneğidir.

89

ZİYA GÖKALP MEZAR TAŞI

(1924)

~

Asıl adı Mehmed Ziya olup, Diyarbakırlıdır. Şiir ve manzum eserler de yazmış olmakla beraber yakın devir Türk kültür tarihinde adından daha çok fikir adamı ve sosyolog olarak bahsettiren Ziya Gökalp, Osmanlı Devleti'nde II. Meşrutiyet'ten sonra görülen Türkçülük hareketinde önemli bir yere sahiptir.

Bir sosyolog olarak Ziya Gökalp'in zihnindeki toplum modeli büyük ölçüde etkisi altında kaldığı E. Durkheim'ın izlerini taşımaktadır. Hayatı boyunca bazen kendi adıyla, bazen takma adlarla birçok gazete ve dergide tarih, sosyoloji, Türkçülük, dil, edebiyat ve sanat konularında birçok makale yayımlayan Ziya Gökalp'in bu yazıları daha sonra kitap haline getirilmiştir.

▲ *Ziya Gökalp'in mezarının üstten görünümü*

Çemberlitaş'taki Sultan II. Mahmud Türbesi haziresinde bulunan mezarı, sandukalı lahit mezarlardandır. Ayak taşı bulunmayan mezarın, baş taşı ve sanduka kısmı üzerinde yazılar ve süslemeler bulunmaktadır. Mezarın baş taşı, üst tarafta dendanlarla dilimlenmiş tepelikli bir taçla son bulmaktadır. Bu tacın altında dokuz satırdan oluşan mezar kitabesi yer almaktadır. Kemerli formun içine yazılan "Büyük Mürşid" ifadesinin köşelerine çiçek motifleri işlenmiştir. Mermere hakkedilen kitabe celî sülüs hatla yazılmıştır. Kitabenin hattatı Beşiktaşlı Hacı Nuri Korman'dır.

BÜYÜK MÜRŞİT ZİYA GÖKALP
BURADA YATIYOR
ÖLDÜĞÜ GÜN MİLLİ BİR MATEM
GÜNÜ OLDU
TÜRK OCAĞI ONUN AZİZ
MEVCUDİYETİNİ YETİŞTİRMEKLE
MAĞRUR OLAN VATANIN BU
TOPRAĞINA VE MÜBAREK
HATIRASINI KENDİ KALBİNE GÖMDÜ
25 TEŞRİN-İ EVVEL
SENE:1924 4 GÜN:CUMARTESİ
MİMARI:HİKMET İSMET

Ziya Gökalp'in Sultan II. Mahmud haziresindeki mezarı

Sandukalı lahtin üzerine örtülmüş hissi veren örtü üzerinde simetrik Rumi motifleriyle oluşturulmuş kompozisyon yer almaktadır.

Mezar kitabesi şöyledir:

"Büyük Mürşid
Ziyâ Gökalp burada yatıyor
Öldüğü gün millî bir mâtem günü oldu
Türk Ocağı onun azîz vücûdunu
Kendisini yetişdirmekle mağrûr
Olan vatanın bu toprağına ve mübârek
Hâtırasını kendi kalbine gömdü
25 Teşrîn-i Evvel sene 1924 Nûri (Hattat imzası) gün Cumartesi
Mimâr: Hikmet İsmet İmâli: Unkapanı'nda Sâlih Sabri ve Hüseyin Avnî"

Mezar, sandukanın dört köşesine konan babalarla ayrılan bir alan üzerindedir. Babalar üzerinde de tepelik formunda süslemeler mevcuttur. Sandukalı lahtin üzerine örtülmüş hissi veren örtü üzerinde de yine Rumi motifleriyle oluşturulmuş simetrik kompozisyon yer almaktadır. Mezarın arkasındaki duvar üzerine asılan mermer plaka üzerine kitabenin okunuşu Latin harfleriyle yazılmıştır.

90

HACI NAZİF ÇELEBİ AİLESİ MEZAR TAŞI

(1925)

~

Kitabesi Hattat Halim Özyazıcı tarafından yazılan mezar taşı, üç farklı yazı çeşidinin bir arada kullanılması açısından önem arz eder.

Eyüp Gümüşsuyu Mezarlığı'nda, Piyerloti'ye çıkan yokuşun sol tarafında yola yakın bulunan mezar, Nazif Çelebi'nin aile kabridir. Hattat Halim Özyazıcı tarafından yazılan mezar taşı imzalı ve tarihlidir. Mermere hakkedilen yazı ve süslemeler günümüze sağlam bir şekilde gelmiştir. Üç farklı yazı çeşidinin kullanıldığı mezar taşının üst kısmı taç şeklindedir.

Tacın altındaki oval form içinde celî sülüs hatla Rahman Suresi'nin 26. ve 27. ayetleri olan, "Küllü men aleyhâ fân ve yebkā vechü rabbike zü'l-celâli ve'l-ikrâm" yani "Yerin üzerindeki herkes fanidir. Sadece azamet ve ikram sahibi olan Rabbinin yüzü sonsuza dek kalacaktır" mealindeki ilahi sözler yazılıdır.

▲
Hacı Nazif Çelebi'nin mezar taşı kitabesi

Oval formun altında ise düz iki satır yazı yer almaktadır. Bu satırlardan üsttekinde celî ta'lik hatla,

"Yevme lâ yenfeu mâlün ve lâ benûn İllâ men etellahe bi kalbin selîm" yani *"O gün ki ne mal fayda verir ne oğullar! Allah'a arınmış bir kalp ile gelen başka"* mealindeki Şuara Sûresi'nin 88 ve 89. ayetleri yazılıdır. Alt satırda ise celî nesih hat bulunur. Burada,

"Hacı Nazîf Çelebi âile makberesi"

ibaresi okunur. Satırın sonunda "Halîm" imzası ve alt kısımda ise 1344/ m.1925 tarihi okunmaktadır. Celî sülüs, celî ta'lik ve celî nesih hatların bir arada yazıldığı taş, üç farklı yazı çeşidinin en güzel örneklerinin bir arada bulunduğu çok az, belki de tek örnek olarak dikkati çeker. İstifli celî sülüs ayet, Halim Özyazıcı gibi usta bir hattatın hat sanatındaki maharetini göstermektedir. İstifli ayetin etrafında "Rumi motifli" simetrik bir kompozisyon yer almaktadır.

Nesih yazı genellikle kitapların, özellikle Kur'an-ı Kerim'lerin yazılmasında kullanılan bir yazı çeşididir. Celî, yani irice yazılmış örnekleri yok denecek kadar azdır. Bu açıdan Hattat Halim Efendi tarafından yazılmış bu mezar taşı örneği hat tarihinde önemli bir yer tutmaktadır.

Usta bir taşçı tarafından mermere işlenmiş mezar taşı kitabesinin üzeri beyaz boyayla boyanmıştır.

MİMAR KEMALEDDİN MEZAR TAŞI

(1927)

~

Bayezid Camii haziresinde, türbe girişinin sağ tarafında bulunan mezar kitabesi, Latin harfler kullanılarak yazılmıştır. Harfler bir heykel şeklinde üç boyutludur.

▲ *Mimar Kemaleddin'in mezarı*

Deniz Albayı Ali Bey'in oğlu olarak Üsküdar'da doğan Mimar Kemaleddin, Arapça ve Fransızca öğrenmiş, Mühendis Mektebi'nden birincilikle mezun olmuştur. Almanya'da tahsilini tamamlayarak yurda döndüğünde Mühendis Mektebi'ne hoca olmuştur. Bir taraftan serbest çalışan Mimar Kemaleddin Seraskerlik Dairesi başmimarlığında da bulunmuştur. 57 yaşında vefat ettiğinde Ankara Evkaf Umum Müdürlüğü Heyet-i Fenniye müdürü idi.

Kudüs'teki Mescid-i Aksa'nın tamirinde gösterdiği başarı dolayısıyla İngiliz Krallık Mimarlar Enstitüsü üyeliğine seçilmiştir.

Meydana getirdiği binalarda eski Türk üslubunu yeni ihtiyaçlarla telif etmeğe çalışmış ve son mimarlık sanatımızda bir çığır sahibi olmuştur.

Eserlerinden başlıcaları arasında; Bebek, Bakırköy ve Yeşilköy camileri, Eyüp'te Reşadiye Mektebi ve Sultan Reşad Türbesi, İstanbul Sirkeci'de I-IV. Vakıf hanları, Çamlıca Kız Lisesi, Üsküdar'da Ayazma Mektebi, Laleli'de Harikzedegan Apartmanları, Ankara'da Atatürk Enstitüsü binası, Mahmud Şevket, Cevad, Ali Rıza ve Hüsnü Paşa türbeleri ile günümüzde İstanbul Üniversitesi Nadir Eserler Kütüphanesi olarak kullanılan "Medresetü'l-Kuzzat" binası sayılabilir.

Bayezid Camii haziresinde türbe girişinin sağ tarafında bulunan mezar kitabesi, Latin harfleriyle majiskül olarak, yani büyük harfler kullanılarak ve harfler mermere oyularak yazılmıştır. Harfler bir heykel şeklinde üç boyutludur.

"Mimar Kemaleddin" ibaresinin altında sol tarafta doğum tarihi olan "1870", sağ tarafta ise vefat tarihi "1927" rakamları yine oyularak yazılmıştır. Yazılar mezarın baş tarafında değil, sol yanındadır ve mezar kaidesinin üzerine konulmuştur. Ayak taşı olarak mermerden şekillendirilmiş bir parça, baş taşı olarak aşağıya doğru daralan silindir şeklinde mermer bir sütun dikilmiştir. Sütunun üzerinde birbirine paralel ve aralıklı olarak oyulmuş yivler bulunur. Bunun dışında mezar taşları üzerinde herhangi bir süs unsuru kullanılmamıştır.

Mimar Kemaleddin'in mezarı

İBRAHİM KEMALEDDİN EDHEM EFENDİ MEZAR TAŞI

(1929)

~

Karacaahmet Mezarlığı'ndaki üstüvani taş üzerinde kabartma şeklinde Kadiri gülü ile sehpa üzerinde yer alan Kadiri sikkesi dikkati çekmektedir. Sikkenin ortasından geçen kısım ile alt kısımda yer alan sarık bölümü yeşil renge boyalıdır.

Beş satır halinde celî sülüs yazıyla yazılan kitabe ünlü hattatlardan Reisülhattatin Hacı Kamil Akdik tarafından yazılmıştır. Ayak taşı da üstüvani olup, üzerinde herhangi bir yazı ya da süsleme unsuru yoktur. 1929 tarihli taşın bulunduğu mezarın üstünde yine yeşil renge boyanmış, metalden bir şebeke yer almaktadır. Kitabenin en üst kısmında müsenna, yani simetrik olarak "Yâ Hû" ibaresi bulunmaktadır.

Kitabenin okumuşu şöyledir:

"Yâ Hû
Ricâl-i Kâdiriyye ve Üveysiyye'den
Es-Seyyid eş-Şeyh İbrâhim Kemâleddîn
Edhem Efendi kuddise sırrahu hazretlerinin
Kabr-i şerîfleridir.
Sinn-i âlîleri 63
Târîh-i velâdetleri sene 1285 (m. 1868)
Târîh-i irtihâlleri Sene 1348 (m.1929)
Kâmil"

Karacaahmet Mezarlığı'ndaki üstüvani taş üzerinde kabartma şeklinde Kadiri gülü ile sehpa üzerinde yer alan Kadiri sikkesi dikkati çekmektedir.

▲

İbrahim Kemaleddin Edhem Efendi'nin mezarının baş taşı

İbrahim Kemaleddin Edhem Efendi'nin Karacaahmet Mezarlığı'ndaki şebekeli mezarı

93

MUSA BABA MEZAR TAŞI

(1929)

~

Musa Baba'ya ait mezarın baş taşı üzerinde, on iki terkli Bektaşi serpuşunun alt kısmından aşağıya doğru genişleyen mermer zemin üzerine yazılan kitabe mail olarak ve celî ta'lik hatla beş satır halinde yazılmıştır.

İstanbul Göztepe'de Şahkulu Sultan Dergahı haziresinde bulunan mezar, üzerinde yer alan figürleriyle dikkat çeken, ilginç mezarlardan biridir. "Koyuncu Baba" olarak da bilinen ve 1929'da Arnavutluk'un Argirokastron şehrinden gelen Musa Baba'nın mezarının baş taşında şunlar yazmaktadır:

"Hû Dost
Terk-i dünyâ hırka postu ehl-i Hakdı bî-riyâ
Eyledi hizmet çobanlıkla bu zâtı pür-hayâ
Ergiri Kazası'ndan olub işbu mücerred-i sâf-dil
Son deminde Hû deyûb göçdü hemân Mûsâ Baba
1929"

Musa Baba'nın mezarı

▼

Baş taşı, on iki terkli Bektaşi serpuşunun alt kısmında aşağıya doğru genişleyen mermer zemine mail olarak celî ta'lik hatla beş satır halinde yazılmıştır.

Ayak taşı kalın bir mermerden yapılmıştır. Üzerinde kuzu ile çoban asası figürü bulunan taş hakkında farklı görüşler ileri sürülmektedir. Bunlardan birinde bu figürlerin Hıristiyan ikonlarında çizilen Tanrı'nın kuzusu motifiyle benzerlik gösterdiği şeklindedir. Maalesef taş üzerindeki asa ve kuzunun başı kırılmıştır.

Ayrıca mezar taşı kitabesinde kullanılan "mücerred" ifadesinden Musa Baba'nın hiç evlenmediği de anlaşılmaktadır.

ZARO AĞA MEZAR TAŞI

(1934)

~

Vefatını dönemin dünya gazetelerinin "Dünyanın en yaşlı adamı öldü" şeklinde duyurduğu Zaro Ağa'nın kabri, Eyüb Sultan Camii arkasından Kaşgarî Dergâhı'na çıkan yokuşun sol yamacındaki kabriStandadır.

1774 yılında Bitlis'in Mutki ilçesine bağlı Meydan (Merment) köyünde dünyaya gözlerini açtığında Osmanlı tahtında I. Abdülhamid vardır. 18 yaşına kadar köyünde yaşayan Zaro, daha sonra İStanbul'a gelerek Tophane semtine yerleşir. Sultan III. Selim zamanında Selimiye Kışlası inşaatında çalışır. Sultan Abdülmecid'in yaptırdığı Ortaköy ve Tophane Camii'nin inşatında da çalışan Zaro Ağa, 11 kez evlenir. 96 yaşına kadar 36 çocuk sahibi olur. O hayattayken, bir tanesi hariç hepsi ölür. Zaro Ağa öldüğünde en küçük kızı 60 yaşlarındadır. Ömrünün son günlerine kadar zinde bir vücuda sahip olduğu, 130 yaşlarındayken, hareket etmekte zorlanan 90 yaşındaki oğluna baktığı, Mevlüt Çelebi'nin *Dünyanın En Uzun Yaşayan Adamı: Zaro Ağa* (1777-1934) adlı kitabında yazılıdır. Torunlarının sayısını bilmeyen Zaro Ağa, 29 torun torunu görür. Zaro Ağa'ya "Neden bu kadar çok evleniyorsun" diye sorulduğunda, "Ne yapayım, aldığım kadınlar çabuk ihtiyarlayıp ölüyorlar" şeklinde cevapladığı kaynaklarda yazılıdır.

Hamidi fesli mezar taşının kitabesi Latin harfleriyle yazılmıştır. Dokuz satırlık kitabede,

"Bitlisli Şemsi Ağa oğlu 160 yaşında ölen Zaro Ağa'nın ruhuna Fatiha 1934"

ifadeleri okunmaktadır. Yola çok yakın mezarın ayak taşı bulunmamaktadır.

10 padişah, 28 veziriazam, iki reisicumhur, beş başbakan, birçok savaş ve 11 evlilik gören "uzun hayat" timsali Zaro Ağa, hayatında unutamadığı dönemin ise 90 yaşından sonraki gençlik yılları olduğunu söylermiş.

En çok bulgur ve yoğurt yediği bilinen Zaro Ağa'nın uzun hayatı konusunda çeşitli araştırmalar yapılmıştır.

Uzun hayatı konusunda çeşitli araştırmalar yapılmış Zaro Ağa'nın Hamidi fesli mezar taşının kitabesi Latin harfleriyle yazılmıştır. Mezarın ayak taşı yoktur.

▲ Zaro Ağa'nı mezar taşı

Zaro Ağa'nın mezarı

95

MEHMET AKİF ERSOY MEZAR TAŞI

(1936)

~

İstiklal Marşı'mızın şairi, "Vatan şairi, milli şair" olarak da anılan Mehmet Akif Ersoy'un mezarı, Edirnekapı Şehitliği'ndedir.

İstiklal Marşı'mızın şairi, "Vatan şairi, milli şair" olarak da anılan Mehmet Akif Ersoy'un mezarı, Edirnekapı Şehitliği'ndedir.

◂ *Mehmet Akif Ersoy'un mezarı*

27 Aralık 1936'da Beyoğlu'ndaki Mısır Apartmanı'nda vefat eden şairin cenaze namazı Bayezid Camii'nde kılındı. Bu merasime resmi bir katılım olmadı, ancak büyük bir üniversiteli genç topluluk katıldı. Mehmet Akif'in mezarı iki yıl sonra, üniversiteli gençler tarafından yaptırılmış, 1960'da ise yol inşaatı sebebiyle kabri Edirnekapı Şehitliği'ne nakledilmiştir. Burada Süleyman Nazif ve arkadaşı Ahmet Naim Bey'in arasında yatmaktadır.

Mezarın üzerinde bulunan Rumi motifli süslemeler

Basamaklarla çıkılan mermerden yapılmış mezarın ayak taşı yoktur. Dendanlı formla biten baş taşının üzerine beyzi bir form içerisinde celî sülüs hatla "Bismillahirrahmanirrahim" ibaresi yazılmıştır. Bunun altında majiskül olarak, yani tamamı büyük Latin harfleriyle:

"İstiklal Marşımızın
Büyük Şairi

Mehmet Âkif Ersoy
1873 – 1936

Ruhuna Fâtiha"

ifadeleri okunmaktadır. Kitabe metninin altında yine Rumi motiflerin kullanıldığı bir tepelik formu yer alır. Ayakucuna doğru daralan mezarın üzerine örtülmüş hissini veren Rumi motif işlemeli mermer bir parça mevcuttur. Bu mermer parçanın üzerinde yer alan Rumi motifler oldukça güzeldir. Bunun mezarın üzerine örtülmüş bir seccadeyi sembolize ettiği söylenmektedir. Mermere kabartma olarak işlenmiş yazılar varaklı, süslemeler ise mermer rengindedir.

96

FATMA VE FAHREDDİN KALEMCİOĞLU MEZAR TAŞI

(1953)

~

Merkezefendi Kabristanı'nda, Merkezefendi Türbesi'nin sol tarafındaki çilehanenin yakınında bulunan mezarın kitabesi Latin harfleriyle yazılmıştır. Baş taşının iki yanına iki sütunçe işlenmiştir. Cumhuriyet döneminin ünlü hattatlarından Halim Efendi'nin gotik tarzda yazdığı ve kitabenin alt tarafına imzasını koyduğu mezar iki kişiye aittir.

◂ *Fatma ve Fahreddin Kalemcioğlu'na ait mezar taşı ve gotik tarzdaki kitabesi*

Cumhuriyet döneminin ünlü hattatlarından Mustafa Halim Özyazıcı'nın gotik tarzda yazdığı ve kitabenin alt tarafına imzasını koyduğu mezarda iki kişi yatmaktadır.

Mezarın baş taşı dendanlı bir taçla son bulur. Rumi motifleriyle süslenmiş bu tacın alt kısmında Halim Efendi tarafından celî sülüs hatla müsenna, yani simetrik yazılmış "Hû" ibaresi bulunur. İbarenin alt tarafında ise şu ifadeler okunmaktadır:

"Fatma Kalemcioğlu Doğum T. 1284 Vefat T. 1953" ve "Fahreddin Kalemcioğlu Avukat Doğum T. 1310 Vefat T."

Ayak taşı olmayan mezarın zeminden biraz yükseltilmiş olduğu ve ayakucuna iki baba konduğu görülmektedir. Yazılar mermer üzerine kabartma olarak yazılmıştır.

97

HATTAT ABDÜLKADİR SAYNAÇ MEZAR TAŞI

(1966)

~

▲
Hattat Abdülkadir Saynaç'ın mezarının baş taşı

Edirnekapı Şehitliği'nde bulunan mezar, etrafı yeni mezarlarla sarıldığı halde hemen fark edilmektedir. Bunun sebebi baş taşı üzerine işlenmiş yazı ve motiflerdir. Üst tarafı dendanlarla dilimlenerek gövde formundan ayrılan baş taşının bu bölümünde müsenna, yani simetrik olarak celî sülüs hatla "Hüve'l-Bâki" ibaresi yazılmıştır. Bu ibarenin alt tarafında Latin harfleriyle "Hattat Abdülkadir Saynaç" adı okunmaktadır. Dendanlarla taşın iç kısmında oluşturulan bölüm içine yazılan ismin üst kısmında 1299 (m. 1882) ve 1386 (m. 1966) tarihleri okunmaktadır. Doğum ölüm tarihleri hicri tarihle yazılan mezar taşının kalan bütün yüzeyi yarı-simetrik düzenlemeyle Rumi motiflerle bezenmiştir.

Taşın arka yüzünde baş tarafta yer alan dendanlı kısma celî sülüs hatla ve girift olarak "Kelime-i Tevhid" yazılmıştır. Bu ibarenin alt bölümünde vazo içinden çıkan ve mermere kabartma olarak işlenmiş gül motifleri yer alır. Vazo motifinin içinde ise Latin harfleriyle "Fatma Dürefşan Saynaç" ismi yazılıdır. Vazonun alt bölümünde 1309 (m. 1891) ve 1373 (m. 1953) tarihleri artık zar zor okunmaktadır. Bunun sebebi mermerin zaman karşısında tahribata maruz kalmasıdır. Mezar taşı, "karıncalanma" diye tabir edilen, dokunulduğunda dağılma özelliği göstermektedir.

Ayak taşı kısmında hayvanların su içmesi için konulmuş yalak bulunan mezar, mermerden yapılmış yüksekçe bir kaideye sahiptir.

Üst tarafı dendanlarla dilimlenerek gövde formundan ayrılan baş taşının bu bölümünde müsenna, yani simetrik olarak celî sülüs hatla "Hüve'l-Bâki" ibaresi yazılmıştır. Bu ibarenin alt tarafında Latin harfleriyle "Hattat Abdülkadir Saynaç" adı okunmaktadır.

Hattat Abdülkadir Saynaç'ın mezarı

İZZET İSRAEL GUTENTAG MEZAR TAŞI

(1975)

~

Ulus semtinde, Musevi vatandaşların defnedildiği Aşkenaz Mezarlığı'nda bulunan mezar karıkoca Gutentaglara aittir. Tamamı mermerden oluşan mezarın ilk dikkati çeken özelliği ailenin soyadlarının yazıldığı mermer kaidenin üzerine işlenmiş "Davud yıldızı" yahut "Mühr-i Süleyman" olarak da bilinen altı köşeli yıldız motifidir. İç içe geçmiş iki üçgen şeklinde oyularak hazırlanan yıldız kaide üzerinde bir heykel gibi durmakta ve dikkat çekmektedir.

▸ *İzzet İsrael Gutentag'ın kabrinden bir görünüm Foto: Saliha Dıraman*

Bunun yanında mezarın üzerinde Musevi sembollerinden "menora" denilen yedi kollu şamdan motifi de bulunmaktadır. Üzerinde majiskül Latin harfleriyle yazılmış yazılar bulunan mezarın baş taşı kitabesinde mezarda yatanların isimleri mermer üzerine kabartma olarak yazılmıştır:

İzzet İsrael Gutentag'ın mezarı
Foto: Saliha Dıraman

Tamamı mermerden oluşan mezarın ilk dikkat çeken özelliği ailenin soyadlarının yazıldığı mermer kaidenin üzerine işlenmiş "Davud yıldızı" yahut "Mühr-i Süleyman" olarak da bilinen altı köşeli yıldız motifidir.

"*İzzet İsrael Gutentag*
1906 – 1975
Öjeni Sinyoru Gutentag
1908 – 1975"

Ailenin soyadları daha büyük harflerle altı köşeli yıldızın altındaki beyaz mermere kabartma olarak yazılmıştır. Mezarın üzerindeki yatay mermer plaka üzerindeki yazılar mermere oyulmuş ve harflerin zeminleri siyah renge boyanmıştır. Mezar zeminden mermer basamakla yükseltilerek ayrılmıştır.

99

FATMA GEVHERİ OSMANOĞLU MEZAR TAŞI

(1980)

~

2 Aralık 1904'te İstanbul'da doğan ve Sultan Abdülaziz'in torunu olan Fatma Gevheri Osmanoğlu, 10 Aralık 1980 yılında 76 yaşında vefat ettiği zaman Sultan II. Mahmud Türbesi haziresine defnedildi.

Mezarın baş taşı, üzerinde yer alan musiki aletleriyle dikkat çekicidir. Sultan II. Mahmud Türbesi haziresinde bulunan mezarın baş taşı üzerinde tambur, ud, kemençe ve yay bulunmaktadır.

Sultan II. Mahmud haziresinde bulunan Fatma Gevheri Osmanoğlu'nun mezarının baş taşı

Mezarın baş taşı, üzerinde yer alan musiki aletleriyle dikkat çekicidir. Sultan II. Mahmud Türbesi haziresinde, arka tarafta duvar dibinde, Ziya Gökalp'in mezarına yakın bulunan mezarın baş taşı üzerinde tanbur, ud, kemençe ve yay bulunmaktadır. Baş taşının üst kısmı, istiridyeyi hatırlatan bir süslemeye sahiptir. Bu süslemenin altında Tuğrakeş İsmail Altunbezer'e ait tuğra şeklinde bir hadis-i şerif yer almaktadır:

"Şefâati ehli'l-kebâiri min ümmeti", "Şefaatim ümmetimden büyük günah sahipleri içindir."

mealindeki hadisin altında Latin harfleriyle ve majiskül olarak:

"Sultan Abdülaziz Han'ın

torunu

Şehzade Şeyfeddin

Osmanoğlu'nun kızı

beste kâr

Fatma Gevheri

Osmanoğlu

1904-1980"

ifadeleri yazılmıştır. Ayak taşı olmayan mezarın baş taşı üzerindeki enstrümanlar ve yazılar kabartma olarak işlenmiştir. Tasarımı ve başarılı taş işçiliğiyle nefis bir mezar taşıdır.

100

ORD. PROF. DR. A. SÜHEYL ÜNVER MEZAR TAŞI

(1986)

~

Hekim, tıp ve sanat tarihi araştırmacısı olan Ord. Prof. Dr. Süheyl Ünver, 1898'de İstanbul'da doğdu. Annesi, hattat M. Şevki Efendi'nin kızıdır. Uzmanlık eğitimini Paris'te tamamladı. Tıp eğitiminin yanında; Yeniköylü Nuri Bey'den tezhip, Necmeddin Okyay'dan ebru, Hoca Ali Rıza'dan resim, eniştesi hattat Hacı Hasan Rıza Efendi'den sülüs ve nesih yazı öğrendi.

Tıp fakültesindeki öğretim üyeliği yanında Güzel Sanatlar Akademisi Türk Tezyini Sanatlar Şubesi'nde minyatür dersleri verdi. Kurucusu olduğu İstanbul Üniversitesi Tıp

Tarihi ve Deontoloji Kürsüsü'nde Türk süsleme dersleri veren Ünver'in bu dersleri daha sonra Cerrahpaşa Tıp Fakültesi Tıp Tarihi Enstitüsü'nde 1986'da vefatına kadar devam etmiştir.

60 binden fazla elyazması üzerinde inceleme yapmış olan Süheyl Ünver'in iki binin üzerinde tababet ve kitap sanatlarıyla ilgili yayını mevcuttur. Öğrencilerinden bazıları; Mihriban Sözer, Azade Akar, Cahide Keskiner, kızı Gülbün Mesara ve Ülker Erke'dir.

Altmış binden fazla elyazması üzerinde inceleme yapmış olan Süheyl Ünver'in iki binin üzerinde tababet ve kitap sanatlarıyla ilgili yayını mevcuttur.

A. Süheyl Ünver'in mezarının baş taşı

Süheyl Ünver'in Edirnekapı'daki Hava Şehitleri Mezarlığı'nda bulunan mezarının baş taşı üzerinde müsenna bir yazı mevcuttur. Celî sülüs hatla ve müsenna, yani simetrik olarak "hüve'l-baki" ibaresi yazılan taş oldukça sade bir görünüme sahiptir. Bu ibarenin altında majiskül, yani büyük Latin harfleriyle "ÜNVERLER" ibaresi okunmaktadır. Bunun altında biraz daha küçük puntoyla "ORD. PROF. DR. A. SÜHEYL ÜNVER 1898 – 1986" ibaresi yer almaktadır.

▲

A. Süheyl Ünver'in baş taşının arkasını süsleyen simetrik Rumili kompozisyon

Alt kısımda ise celî sülüs hatla "el-Fatiha" ibaresi yazılmıştır.

Baş taşının arka yüzünde ise yarı simetrik olarak düzenlenmiş Rumi motiflerinden oluşan bir kompozisyon mevcuttur. Mermere hakkedilen yazı ve motiflerin üzeri altın varakla kaplanmıştır.

KAYNAKÇA

Acar, M. Şinasi. *Gelimli Gidimli Dünya*. İstanbul: YEM Yayınları, 2004.

Akıncı, Sırrı. "Bir Mezar Taşı". *Hayat Tarih Mecmuası*. S. 9. İstanbul, 1968.

Aksu, Cemal. "Nedim (Ahmed, Mülakkanzade)". *Yaşamları ve Yapıtlarıyla Osmanlılar Ansiklopedisi*. Cilt: 2. İstanbul: YKY, 1999.

Aksu, Hüsamettin. "Kaptan İbrahim Paşa Haziresi". *Semavi Eyice Armağanı*. İstanbul: TTOK Yayınları, 1992.

Atasoy, Nurhan. *Derviş Çeyizi*. Ankara: Kültür ve Turizm Bakanlığı Yayınları, 2005.

Atsız, Nihal. "İstanbul'un Fetih Yılına Ait Bir Mezar Taşı". *Orhun Dergisi*. S. 8. İstanbul, 1934.

Ayanoğlu, F. İsmail. "Fatih Devri Ricali Mezar Taşları ve Kitabeleri". *Vakıflar Dergisi*. S. 4. Ankara, 1958.

Bayrak, Orhan. *İstanbul'da Gömülü Meşhurlar*. İstanbul: Milenyum Yayınları, 2002.

Behçetî İsmail Hakkı el-Üsküdarî. *Merâkid-i Mu'tebere-i Üsküdar*. İstanbul: TTOK Yayınları, 1976.

Çetintaş, M. Burak. *Türk Denizcilerinin Mezar Taşları*. İstanbul: Deniz Kuvvetleri Komutanlığı Kültür Yayınları, 2009.

Derman, Uğur. "Mezar Kitabelerinde Yazı Sanatımız". *TTOK Belleteni*. S. 49/328. İstanbul, 1975.

Eldem, Edhem. *İstanbul'da Ölüm*. İstanbul: Osmanlı Bankası Arşiv ve Araştırma Merkezi Yayınları, 2005.

Erel, Şerafettin. *Önemli Birkaç Kitabe*. İstanbul: Baha Matbaası, 1971.

Geçmişten Günümüze Mezarlık Kültürü ve İnsan Hayatına Etkileri. İstanbul: Mezarlıklar Vakfı Yayınları, 1999.

Gövsa, İbrahim Alaettin. *Türk Meşhurları Ansiklopedisi*. İstanbul: Yedigün Neşriyatı, 1946.

Gürel, Şevket. *İstanbul Evliyaları*. İstanbul. (t.y.)

Haskan, Mehmet Nermi. *Eyüplü Meşhurlar I-II*. İstanbul: Eyüp Belediyesi Yayınları, 2004.

——. *Eyüplü Hattatlar*. İstanbul: Eyüp Belediyesi Yayınları, 2004.

——. *Eyüp Sultan Tarihi*. İstanbul: Eyüp Sultan Vakfı Yayınları, 1996.

İşli, H. Necdet. *İstanbul'da Sahabe Kabir ve Makamları*. İstanbul: Vakıflar Genel Müdürlüğü Yayınları, 1986.

——. *Osmanlı Serpuşları*. İstanbul: 2010 Avrupa Kültür Başkenti Yayınları, 2010.

——. *Yeniçeri Mezartaşları*. İstanbul: Turkuaz Yayınları, 2006.

Karamürsel, Alım. "Eyüp'te İki Zeyni Mezartaşı". *Eyüp Sultan Sempozyumu V-Bildiriler*. İstanbul: Eyüp Belediyesi Yayınları, 2002.

Kocadağ, Burhan. *Şahkulu Sultan Dergahı ve İstanbul Tekkeleri*. İstanbul: Can Yayınları, 1998.

Koç, Mustafa. "Necati". *Yaşamları ve Yapıtlarıyla Osmanlılar Ansiklopedisi*. Cilt: 2. İstanbul: YKY, 1999.

Konyalı, İbrahim Hakkı. *Azadlı Sinan*. İstanbul: İstanbul Fetih Derneği Yayınları, 1953.

Kumbaracılar, İzzet. *Serpuşlar*. TTOK Yayınları.

Kut, Günay ve Edhem Eldem. *Rumelihisarı Şehitlik Dergâhı Mezar Taşları*. İstanbul: Boğaziçi Üniversitesi Yayınları, 2010.

Kutlu, Hüseyin. *Kaybolan Medeniyetimiz*. İstanbul: Damla Yayınları, 2005.

Laqueur, Hans-Peter. *Hüve'l-baki*. Çev. Selahattin Dilidüzgün. İstanbul: Tarih Vakfı Yurt Yayınları, 1997.

Mahmud Şevket Paşa. *Osmanlı Teşkilat ve Kıyafet-i Askeriyesi*. Ankara: Türk Tarih Kurumu Yayınları, 2010.

Nüzhet, Sadettin. *Mezar Kitabeleri-İstanbul'da medfun Meşahire Ait*. İstanbul: Remzi Kitaphanesi, 1932.

Oğuz, Burhan. *Mezartaşında Simgeleşen İnançlar*. İstanbul: AAV Yayınları, 2002.

Ölüm-Sanat-Mekan. Der. Gevher Gökçe Acar. İstanbul: Dakam Yayınları, 2011.

Öz, Tahsin. *İstanbul Camileri II*. Ankara: Türk Tarih Kurumu Yayınları, 1987.

Özcan, Ali Rıza. *Türk Kültür ve Medeniyet Tarihinde Fatih Külliyesi II-III*. İstanbul: İstanbul Büyükşehir Belediyesi Yayınları, 2007.

Sertoğlu, Midhat. *Resimli Osmanlı Tarihi Ansiklopedisi*. İstanbul, 1958.

Sonsuz Hayata Yolculuk. İstanbul: İBB Mezarlıklar Müdürlüğü Yayınları. (t.y.)

Sönmez, Zeki. "Ayas Ağa". *DBİA*. Cilt: IV. s. 201.

——. "Sinân-ı Atîk". *DBİA*. Cilt: VII. s. 228.

Şehsuvaroğlu, Bedi. *Üsküdar'ın Görünmeyen Ünlüleri*.

Tryjarski, Edward. *Türkler ve Ölüm*. Çev. Hafize Er. İstanbul: Pinhan Yayınları, 1991.

Turan, Şerafettin. "Hoca Sâdeddin Efendi". *DBİA*. Cilt: VIII. s. 196-198.

Uçman, A. "Ziya Gökalp". *Yaşamları ve Yapıtlarıyla Osmanlılar Ansiklopedisi*. Cilt: 2. İstanbul: YKY, 1999.

Ünver, A. Süheyl. "İstanbul'un Mutlu Askerleri ve Şehit Olanlar". *İstanbul Risaleleri 5*. İstanbul: İBB Yayınları, 1996.

——. *Karacaahmednâme*. Haz. Gülbün Mesara ve diğerleri. İstanbul: Üsküdar Belediyesi Yayınları, 2011.

Veinstein, Gilles. *Osmanlılar ve Ölüm*. Çev. Ela Güntekin. İstanbul: İletişim Yayınları, 2007.

Yahya b. Salih el-İslambolî. *Tarikat Kıyafetleri*. İstanbul: Sufi Kitap, 2006.

Yavuztürk, Şükriye Pınar. "Silivrikapı Semti". *İstanbul'un Kitabı Fatih*. İstanbul: Fatih Belediyesi Yayınları, 2011.

Yazır, Mahmud. *Kalem Güzeli III*. Ankara: DİB Yayınları, 1987.